D1584574

PasseportSanté.net
111 Duke, bureau 2600
Montréal (Québec)
H3C 2M1

MIEUX ÉCOUTER
POUR **SE RÉALISER**

Catalogage avant publication de Bibliothèque et Archives nationales du Québec et
Bibliothèque et Archives Canada

Christophe, Lise

  Mieux écouter pour se réaliser : écouter, s'écouter, être écouté

  (Coach)

  1. Écoute (Psychologie).   2. Enfants inattentifs - Réadaptation.   I. Titre.
  II. Collection : Coach (Montréal, Québec).

  BF323.L5L38 2007   153.7'33   C2007-941885-6

Dépôts légaux
Bibliothèque nationale du Québec
Bibliothèque nationale du Canada
Imprimé au Canada

Diffusion en Amérique du Nord :
SOMABEC
B. P. 295, 2475, rue Sylva Clapin
Saint-Hyacinthe (Québec), Canada J2S 7B6
Téléphone : (450) 774-8181/1.800.361-8118
http://www.somabec.qc.ca

Diffusion en Europe :
D.N.M.
30, rue Gay-Lussac
75005 Paris, France
Téléphone : 01.43.54.49.02
http://www.librairieduquebec.fr

Révision : Fanny Provençal
Conception graphique et mise en pages : Manon É. Léveillé
Photos de couverture : Quentin et Claude La Roche

© Isabelle Quentin éditeur, 2007
http://iqe.qc.ca
ISBN : 978-2-922417-55-5

                                                    1 2 3 4 5 09 08 07

LISE **CHRISTOPHE LAVERDIÈRE**

MIEUX ÉCOUTER
POUR **SE RÉALISER**

**ÉCOUTER,
S'ÉCOUTER,
ÊTRE ÉCOUTÉ**

À mes enfants, Éric, Alain et Anne-Marie, l'inspiration et le souffle de ma vie.
À leurs conjoints, si présents.
À mes petits-enfants, Hope, Charlie, Mathilde, Guillaume, Lukas et Zoé
que j'embrasse bien fort. Je les invite à rester vibrants et créatifs.
À mes élèves, auxquels j'ai dédié ma vie, et sans lesquels je n'aurais
rien appris de si précieux.

Collection **COACH**

La collection Coach réunit pour vous les coachs vedettes de chaque discipline. Dans un langage concret, intime, ces coachs vous proposent nombre de cas, d'exercices et d'anecdotes. Ils partagent avec vous leurs approches maintes fois éprouvées et les techniques qui en découlent. Leur objectif : vous transmettre le meilleur d'eux-mêmes afin de vous permettre de mieux vous coacher vous-même.

Table des matières

Préface 11
Introduction 13

Chapitre 1. Au commencement, il y a... .17
Le son de sa voix 19
Le toucher de sa main 20
J'entends des gargouillements ! 20
Ma maman a-t-elle une maman ? Qui est
    avec elle ? 20
Je ressens et je choisis 21
Naissance 22
    L'anoxie 22
    Les accidents de l'accouchement 23
    L'incubateur 23
    Les séparations 23

**Chapitre 2. L'enfant est dans son
    corps** **25**
L'engramme 27
L'être humain 27
Les cinq sens 27
    L'ouïe 27
    La vue 27
    La vue et l'ouïe en tandem 29
    Ah ! l'image 30
    L'humain est un animal qui sait se
        protéger 30
Ne pas sauter aux conclusions trop vite . . 31
    ... ni brimer l'enfant 31
    Visuel ou auditif ? 32
    Intelligence émotive et intelligence
        brute 32
    Mécanisme de défense 32
    L'écoute est un puissant repère 33
Développer le langage 34
    Trouble d'apprentissage chez les
        enfants : quoi faire ? 34

Chapitre 3. Les maladies de l'écoute 41
Ma technique pour poser un diagnostic . . . 43
    Mal entendre ne veut pas dire être
        sourd 43

Les troubles de la communication 44
    Les causes des dysfonctionnements
        de l'oreille 44
    Les traumatismes déclencheurs 44
    Les otites à répétition 45
    L'hérédité 46
Qu'est-ce que l'écoute aérienne ? 46
    L'élaboration des profils 46
    L'acuité 47
    La perception par l'oreille droite 47
    La confirmation par l'oreille gauche 48
    La modulation 48
La motivation 49
Le retard de langage 50
    Quand intervenir ? 50
La dysphasie 53
    La courbe du profil dysphasique 53
La dyslexie 53
    Les manifestations les plus
        élémentaires 54
    La courbe du profil dyslexique 56
    Donner le temps aux apprentissages
        de se faire 57
    Favoriser l'estime de soi 58
    La latéralité 58
Le déficit d'attention 64
    La courbe du profil du déficit
        d'attention 64
    Que se passe-t-il ? Qui sont ces
        enfants ? 64
L'hyperactivité 68
    La courbe du profil de l'hyperactivité . . . 69
    Que se passe-t-il ? Qui sont ces
        enfants ? 69
Ah ! La fameuse médication 72
    Que dire des parents ! 73
    Tolérance zéro en matière de
        violence 74
    Et à l'école ? 74

Chapitre 4. La mélodie de l'écoute 75
Les écrans et le visuel 77

Recherche de la satisfaction immédiate . 78
Créer l'image mentalement 79
Silence, on tourne 79
Anatomie de l'oreille 80
Écoute extérieure et écoute
    intérieure 81
Comportement adéquat ou de
    protection ? 82
Sentiments intérieurs 82
Équilibré ou déséquilibré ? 84
    La créativité 86
    Retour à la motivation 87
    L'encourager ou le décourager ? 88

Chapitre 5. Applications dans les
    apprentissages scolaires 91
Avant l'école, les voyelles grâce à
    maman 93
Prémisse de l'écoute : la présence 94
L'apprentissage du langage 95
    Le cordon ombilical sonore 96
    Langue maternelle et langue
        étrangère 98
Les difficultés scolaires 99
L'apport auditif en lecture 102
    La forme représentative de la
        vibration 102

Le travail d'équipe des yeux et des
    oreilles 103
L'évaluation scolaire de la
    compréhension 103
    La conclusion erronée 104
L'écriture 104
    L'écriture en zigzag 104
    La calligraphie 105
Les mathématiques 107
    La résolution de problèmes 109

Chapitre 6. Affiner l'écoute centrale . . . 113
L'intervention 115
    Une recette universelle ? 115
    La résistance 116
    Quand le test d'écoute indique
        « normal » 116
    Surmonter les obstacles 117
    Restaurer la qualité de vie 118

Conclusion 119

L'auteure 121
Le centre Iso-Son 125
Promesse d'une suite… 127
Liste des tableaux et figures 129
Liste des cas vécus 131

Lise Christophe Laverdière est une personne passionnée par la vie. Devant une difficulté, elle ne baisse pas les bras, mais cherche plutôt le pourquoi, le comment afin d'amorcer le changement.

Même si elle devait sortir des sentiers battus pour trouver les réponses adéquates, elle a eu le courage d'entreprendre ce long chemin. Solitaire, face à la lourdeur administrative d'un système traditionnel qui aime des réponses rapides, pas trop dérangeantes et pas trop coûteuses, elle a persévéré.

Elle nous livre ici les résultats d'une vie de pratique active avec des enfants que l'on considère trop souvent comme des tarés, alors qu'ils sont simplement bloqués.

Avec patience, amour et respect de ce qu'ils étaient, elle les a écoutés et les a aidés à revenir sur leurs difficultés pour les faire enfin goûter au succès qu'ils méritaient.

Beaucoup d'enfants à l'insu des adultes peuvent vivre des traumatismes physiques ou affectifs qui viennent interrompre une courbe d'apprentissage dite « normale », et ce, même dans des familles aimantes.

Ce livre se veut un message d'espoir pour tous les parents inquiets qui se demandent pourquoi et comment et si c'est possible d'y changer quelque chose.

Le chemin de la réhabilitation en est un de patience. Tout ne se fait pas en un claquement de doigts. Un esprit ne se retourne pas dans sa façon de fonctionner comme on le fait d'une crêpe. Mais un chemin existe pour ceux qui veulent le prendre.

J'espère que ce livre inspirera de jeunes pédagogues à se former pour comprendre ces techniques et les appliquer afin que de plus en plus d'enfants en difficulté d'apprentissage puissent arriver au plein épanouissement de leur potentiel.

MARIE FRANCE BOURDAGE
Pédagogue et cofondatrice
du Centre En Soi.

« Notre ressource naturelle la plus précieuse est l'intelligence – les intelligences – de nos enfants. »

WALTER ELIAS DISNEY

Enseignante de carrière, je fus néan-moins dépourvue lorsque ma fille, «Zézette», déjà bilingue et n'ayant jamais éprouvé de difficultés d'apprentissage, même en maternelle, se retrouva en situation d'échec dès ses débuts à la lec-ture. J'entrepris alors une recherche, qui se poursuit encore aujourd'hui. Forte de mes diplômes et de mes expériences en milieu scolaire, je m'adressai à plusieurs services déjà en place à l'intérieur de ma propre commission scolaire, puis je pour-suivis mes démarches à l'extérieur.

Rien n'allégeait notre souffrance. La sienne s'accentuait à mesure que l'année avançait et la mienne se teintait d'une angoisse profonde, de désarroi, sans solution. «Ma fille est malheureuse à l'école!» Mon conjoint, médecin, me pro-posa des solutions médicales. J'étais prête à tout. Les démarches se sont avé-rées stériles. Que faire? Aller à la biblio-thèque? Assister à des conférences? À qui parler?

Pendant ce temps, j'enseignais tou-jours et ma réflexion se portait sur les élèves qui m'étaient confiés, à qui l'on proposait d'emblée des études aux débouchés peu gratifiants. Comment se faisait-il qu'on les cataloguait ainsi? Les démarches infructueuses me découra-geaient de plus en plus. Je choisis donc d'explorer de nouveaux sentiers.

J'ai lu des écrits du Dr Alfred Tomatis[1], j'ai rencontré des gens qui avaient fait des expériences avec sa musique filtrée, je tentais de comprendre et, surtout, j'observais les résultats des expériences que je tentais moi-même avec mes étu-diants et ma fille. Tout ce qui touchait l'écoute m'intéressait. Par la suite, j'ai rencontré François Louche, un musicien qui avait travaillé avec Tomatis. Il propo-sait une formation aux chanteurs et aux musiciens intéressés à parfaire leur outil d'écoute. Je m'y suis inscrite. Il m'a expli-qué que je devais plonger! Lentement, alors que je rencontrais toujours des enfants en privé, je poursuivais mes ten-tatives en grand groupe avec mes élèves à l'école. J'ai corrigé, adapté, expéri-menté et vérifié ma méthode, et, finale-ment, j'ai formé des enseignants à cette méthode de stimulation de l'oreille interne par la résonance de la voix.

Ce livre résulte de l'information que j'ai reçue de ces enfants durant le pro-cessus thérapeutique de rééducation

1   Tomatis, Alfred. *L'oreille et la vie*, Réponses-santé, Editions Robert Laffont, Paris, 1977.

auditive. Cette recherche n'est pas basée sur les différentes théories psychiatriques ou psychologiques déjà établies dans le milieu médical. Mon intention n'est pas de les démolir non plus, mais plutôt de faire connaître le contexte d'écoute dans lequel j'ai compilé toutes les manifestations du corps, qui, on l'admet partout, porte déjà la trace de son expérience imprimée dans le cerveau. C'est ce qu'on appelle la mémoire cellulaire, dont plusieurs écrits scientifiques nous donnent une explication détaillée.

Je constate tous les jours à quel point l'écoute nous permet de récupérer notre potentiel et de nous rattacher à la vie !

Chapitre 1

AU COMMENCEMENT, IL Y A...

« Vous êtes les arcs par qui vos enfants, comme des flèches vivantes, sont projetés. »

KHALIL GIBRAN, *LE PROPHÈTE*

Une poussée d'énergie me porte à la rencontre d'un lieu idéal où je serai porté, protégé, nourri, enveloppé. Là, je pourrai me développer, me former et bouger. Je serai vivant. Je serai complet. Je serai entier. Je serai moi. Fort de cette énergie, je deviens un avec ce lieu, je me multiplie, me différencie et me développe en plusieurs spécialités ; je me précise et chacune de mes fonctions devient de plus en plus efficace. Après 18 jours d'existence, je suis déjà capable de rester en éveil en utilisant ma perception auditive pour capter les vibrations sonores qui se promènent dans ce lieu merveilleux où j'ai élu domicile. J'y suis, j'y reste. Tout est parfait ! Oui ! Tout est parfait jusqu'à preuve du contraire.

La preuve du contraire se fera un peu à la manière d'un rat qui réussit à trouver la sortie d'un labyrinthe après de malencontreuses rencontres physiquement souffrantes, parfois nerveusement stressantes, face à un mur incontournable. En plein développement, je n'ai pas encore tout ce qu'il faut pour percevoir et analyser, mais je ressens. J'emmagasine dans mes cellules déjà à l'écoute ce qui est bon – ou non – pour moi. Si c'est bon, j'en veux davantage, sinon je fuis, je me cache. Mon cerveau à l'état embryonnaire peut emmagasiner ce que je ressens, mais sans toutefois pouvoir l'analyser ni le comprendre.

Mais je ressens. Je ressens si bien que ce qui est plaisant m'appelle et que je mets toute mon énergie à le retrouver. Gare aux obstacles ! Je les contourne, puis je cherche la façon idéale de continuer à me développer en prenant tout ce qui est bon pour moi. Je sais d'instinct ce qui est vital pour moi. Les sons, évidemment, les vibrations sonores de l'eau dans laquelle je baigne, les vibrations des battements du cœur de ma mère, les vibrations de sa voix, qui se propagent par tous les tissus osseux, principalement par celui sur lequel je repose, le bassin. Une véritable symphonie. Je me complais dans ce giron de sons !

LE SON DE SA VOIX

Ma mère, je la connais déjà par sa voix, sa façon de bouger et sa façon de réagir. Son cœur bat, débat. J'entends la différence, je perçois sa réalité. La mienne en découle. Quand elle est bien, je suis bien. Quand elle est inquiète, je m'inquiète. J'entends sa joie, j'entends sa peine, mais elle ne me peine pas, sauf si elle me l'attribue. Alors là, c'est moi qui m'inquiète. Que m'arrivera-t-il ?

Que dois-je faire ? Comment pourrais-je être totalement avec elle ? Il faut que je la retrouve ! Elle me manque. Devrais-je bouger ? Rester tranquille ? Hum ! D'autres perceptions me renseignent.

LE TOUCHER DE SA MAIN

Après sa voix, je découvre sa main, plutôt son toucher. Si elle me caresse en caressant son ventre, je me rends présent à ce toucher ; je bouge pour tenter d'en profiter, car c'est doux, bon et rassurant. Je suis prêt à me placer pour que son confort lui donne le goût de me flatter. Si je manque de caresses, je suis prêt à la bousculer pour qu'elle se souvienne que je suis là. J'en veux, de sa présence, de son toucher, de sa voix. Je suis motivé à me développer pour qu'à l'apogée, en temps et lieu, je sois parfait pour elle et elle, parfaite pour moi.

Et puis je constate qu'elle n'est pas seule ! D'autres mains touchent son ventre, si différentes... Ah oui ! elle réagit, elle aussi. Elle aussi, elle aime ou elle n'aime pas. Je ressens que, si elle aime, c'est bon pour moi aussi. J'aimerai donc, moi aussi. Si elle n'aime pas, attention ! Je suis sur mes gardes ! Elle n'est pas confortable, je ne me sens pas bien. Pourquoi ? Je ne sais pas, mais je suis mal ! Que faire ? Je veux ma

mère confortable, rassurante. Dois-je rester inerte, me taire, bouger, la bousculer de nouveau pour qu'elle réagisse et nous remette dans cet état de béatitude si agréable ?

J'ENTENDS DES GARGOUILLEMENTS !

Que se passe-t-il ? Elle est mal, je n'ai plus d'énergie ; je dois la puiser dans son corps. Je prendrai d'elle ce dont j'ai besoin, car je la sais là pour moi. Elle saura bien quoi faire pour rétablir la situation. Elle sait se nourrir. Peut-être a-t-elle oublié de manger ? Parfois, elle m'endort dans l'alcool ou autres préparations pour oublier ses angoisses, mais elle m'en crée ; j'ai peur, je n'ai plus ma mère, elle n'est plus là. Que dois-je faire ? La bousculer ou me taire ? Je veux ma mère à tout instant... et pleine d'énergie.

MA MAMAN A-T-ELLE UNE MAMAN ? QUI EST AVEC ELLE ?

Qui berce ma maman ? Qui l'entend ? Qui entend que je suis là, dans son ventre ? Qui sera là avec elle, pour être là avec moi ? A-t-elle une maman ? A-t-elle un papa qui lui a insufflé l'énergie nécessaire pour devenir quelqu'un, comme moi qui veux devenir quelqu'un ? Y a-t-il quelqu'un qui l'entoure, qui la protège, pour qu'elle m'entoure et me protège ? À qui dit-elle que je suis là ? Est-elle, elle aussi, un giron de sons ?

J'entends différentes voix, certaines plus aiguës, d'autres plus graves. Elles sont parfois agréables, calmantes. D'autres fois,

MIEUX ÉCOUTER POUR SE RÉALISER

elles crient et sont inquiétantes. Cependant, j'aime reconnaître les voix amicales, qui s'intéressent à elle et surtout celles que j'entends souvent.

Il y en a une que j'entends très souvent et que j'aime beaucoup. Elle ne ressemble pas du tout à la voix de ma mère, elle est plus grave. C'est cette voix qui lui répond le plus souvent. Je l'entends aussi de plusieurs façons. Parfois tendre, parfois plus forte et résonnante. Celle qui me porte aime aussi cette voix. Souvent, son cœur bat la chamade si cette voix arrive par surprise ou si elle lui répond sur un ton joyeux. Je perçois beaucoup d'échanges entre eux. Je me sens si bien lorsqu'ils sont heureux ensemble. Ça me donne le goût de rester là, près d'eux, entre eux deux. Je me sens confortable, confiant, protégé et comblé. Quelle béatitude ! Ah ! C'est parfait !

Il s'approche à certains moments et me cajole en flattant le ventre de ma mère, qui s'arrondit de plus en plus pour me laisser grandir à mon rythme. Il n'est pas toujours là, mais assez souvent pour que je sache qu'il occupe une place de choix dans son environnement. Les autres qui évoluent autour d'elle sont-ils chaleureux ? Ses frères et sœurs, ses amis et amies, ses voisins et ses collègues sont-ils présents ? J'écoute son cœur et je prends le pouls de ses relations. J'ai hâte de les voir, de les écouter et d'interagir avec eux, car je veux faire partie de l'environnement de ma mère. Pour l'instant, je me complais ici. Le dos bien appuyé sur les parois de son utérus, je suis si bien que je veux continuer de me développer dans son sein.

JE RESSENS ET JE CHOISIS

Évidemment, tant et aussi longtemps que je me sentirai assouvi et comblé, je n'aurai aucune envie d'interrompre mon séjour dans ce lieu idyllique où je me prélasse. J'y ai tout mon temps pour développer mes tissus et assurer leur bon fonctionnement. J'assimile, je mémorise et je me conditionne pour répondre aux sentiments de bonheur et de béatitude que je rechercherai certainement une fois extirpé de cet endroit magnifique. Pour l'instant, ma mère et moi filons le parfait bonheur ! Je ne peux pas imaginer qu'il y aura une fin à cette merveilleuse expérience !

Si je saisis par le timbre de sa voix ou l'excitation dans sa voix qu'il se passe quelque chose qui la dérange et qui la préoccupe, alors je m'affole, je m'excite à mon tour. Je ne veux pas entendre ces sons alarmants. J'ai le goût de me sauver, de fuir. Mais où aller ? Il n'y a pas d'autre endroit pour moi. Je ne peux pas sortir d'ici sans risquer de tout gâcher. Comment puis-je faire pour éliminer – ou au moins diminuer – ce stress qui nuit sérieusement à l'énergie indispensable à mon développement embryonnaire ? Je n'ai aucun contrôle sur tout ce qui se passe. Aucun contrôle sur mon développement, certainement pas de contrôle sur ce qui se passe dans le corps de ma mère et encore moins sur tout ce qui se passe dans sa vie !

Il ne me reste qu'une seule possibilité : fermer l'entrée à ce que je reçois. Ce que je reçois vient de mes cinq sens. Trois de ces cinq sens sont encore en développement.

Pour l'instant, je ne peux pas utiliser les sens de la vue, de l'odorat et du goût. Je me sers uniquement de l'ouïe et du toucher. Le toucher, je ne l'utilise que partiellement, car je ne peux toucher que moi-même. Il me reste l'ouïe. Je peux toutefois décider de ne pas écouter ce qui me perturbe, me contrarie, me déplaît. Puisque je sais déjà distinguer ce que j'aime de ce que je n'aime pas, je peux faire le tri et ne plus me laisser déranger par ce qui ne me convient pas.

Dorénavant, je déterminerai ce qui est agréable ou non et j'imprimerai dans mon cerveau limbique les effets de toutes ces vibrations. Comme mon développement se poursuit, je prends de l'assurance et du poids. Il n'y a plus tellement d'espace ici. Puis-je sortir ? Si je quitte ce lieu si chaleureux, mais de plus en plus étroit, qu'est-ce qui me permettra de garder ce lien qui m'est tellement précieux ? Je l'aime tant, ma maman !

NAISSANCE

Me voilà coincé, projeté, évacué ! Au secours ! Que se passe-t-il ? Je me sens secoué, bousculé. Je ne retrouve plus ce confort, cette béatitude. C'est long et difficile. Je veux maintenant sortir d'ici ! Je me débats ! J'essaie de composer du mieux que je peux avec cette très inquiétante réalité. J'ignore complètement ce qui se passe. Où vais-je aboutir ? À l'occasion, j'entends encore sa voix, mais c'est différent et je m'inquiète de tout ce remue-ménage. Souhaite-t-elle toujours mon bien-être ? Ma venue ? Pourra-t-elle me contenir comme avant ? Je

cherche sa voix et, quand je l'entends, ça me rassure. Je veux réussir à la retrouver. Je veux garder ce contact, cette relation avec elle. Je veux vivre ! Je trouverai bien le moyen de survivre à toutes ces embûches.

Les traumatismes de la naissance déclencheront des mécanismes inconscients dont il faudra s'occuper s'ils génèrent des blocages aux entrées sensorielles, qui sont si essentielles. Le bébé vit différentes réalités difficiles – ou du moins sérieuses – au moment de sa naissance. La nature est dotée d'une capacité de survie très puissante, qui permet la reproduction de la race. Cette énergie de vie continue de nous projeter vers l'avant, tout comme les premiers moments suivants notre conception.

Mais nous sommes enclins à toujours garder la même façon de fonctionner, même si, à long terme, elle compromet sérieusement notre élan de vie. Différents traumatismes ou souffrances déclenchent ces mécanismes. Le vécu de certains enfants qui m'ont été confiés mettra ces moments difficiles en évidence.

L'ANOXIE

L'anoxie est un manque momentané d'oxygène si léger qu'il ne laisse aucune séquelle physique. Par contre, il provoque un sentiment momentané de détresse qui s'inscrit dans la mémoire du corps. Cette détresse entraîne une façon d'être qui nous incite à freiner nos élans de vie, car notre expérience leur attribue un caractère de risque. Un bébé qui a souffert d'anoxie grandira en mettant au point plusieurs stratégies pour éviter d'être confronté de nouveau à cette souffrance, à moins qu'on ne lui donne l'occasion de l'étudier consciemment.

LES ACCIDENTS DE L'ACCOUCHEMENT

Les accidents de l'accouchement sont, par exemple, le cordon enroulé autour du cou du bébé, les césariennes faites d'urgence, la présence de selles *in utero*, les dosages de médicament inadéquats, les accouchements trop rapides ou excessivement longs et des accidents de parcours qui ne pouvaient pas être prévus, mais qui ont laissé des séquelles, sans pour autant qu'elles soient permanentes.

L'INCUBATEUR

L'incubateur, ce lieu dans lequel on reproduit les conditions de l'utérus et sans lequel les bébés prématurés n'auraient aucune chance de survie, est un lieu où les sens sont très sollicités. Or, le bébé n'est pas prêt à gérer toutes ces perceptions. Heureusement, on est de plus en plus conscient de toutes ces stimulations – bruit, lumière, mouvements constants

– et on tente de réaménager les pouponnières. De plus, on encourage les mamans à prendre leur bébé sur elle et à les mettre en contact avec leur peau, à la manière d'un kangourou, afin de préserver ce lien vital et précieux qui s'est créé *in utero*.

LES SÉPARATIONS

Les séparations entre une mère et son enfant privent ce dernier de la voix maternelle, qui constitue son unique repère. Je pense ici à l'adoption. L'adoption en soi est un acte généreux et louable. Malgré cela, 50 % des enfants adoptés sont malheureux. Il semble toutefois que la faute ne revienne aucunement au milieu qui a accueilli le bébé, mais bien plutôt à comment ce dernier a imprimé la rupture dans sa mémoire cellulaire. Tout laisse croire que la mère transmet à son enfant le sentiment qui l'habite. Doit-on conclure que l'enfant qui a été blessé par la voix de sa mère acceptera plus facilement un changement de voix et de toucher ? Et que celui qui a vécu la perte d'une voix aimante ne sera jamais comblé même par une autre voix tout aussi aimante ? Possible.

La maladie et la mort peuvent aussi marquer l'enfant définitivement. On dit souvent : « C'est la vie ! » pour exprimer notre impuissance. En fait, il n'y a pas de vie s'il n'y a pas de mort. La mort précède la vie. La nature est régie par ce cycle. Et nous faisons partie de cette nature. Alors, oui, la mort fait partie de la vie. Mais, devant elle, il faut néanmoins faire les gestes nécessaires pour apaiser la souffrance.

Chapitre 2

L'ENFANT EST DANS SON CORPS

« Dans une maisonnée, les chiens et les nouveau-nés savent tout. »

FRANÇOISE DOLTO

Il est essentiel de bien comprendre les importantes étapes de la période pré-scolaire, car c'est à ce moment que les engrammes s'impriment dans le cerveau limbique. Ce dernier est la partie de notre cerveau qui capte les sensations, mais sans pouvoir les analyser, car les hémisphères du cerveau frontal n'ont pas encore atteint le degré de maturité nécessaire.

L'ENGRAMME

L'engramme est une trace bio-électrique laissée dans le cerveau par un événement du passé individuel et qui serait le support du souvenir. C'est la répétition, toutefois, qui permet de fixer l'information au cerveau. Il semble que ça prenne un minimum de 14 répétitions pour que la mémoire intègre une nouvelle notion.

▓ HÉMISPHÈRES CÉRÉBRAUX GAUCHE + DROIT = SAGESSE

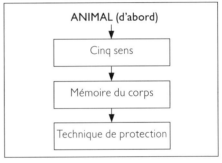

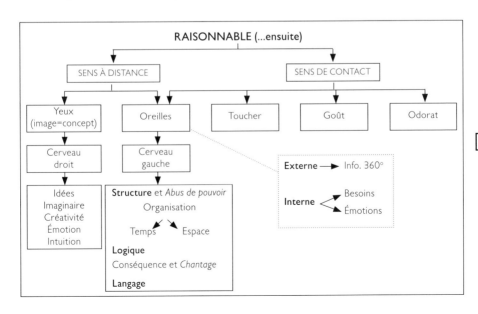

L'ENFANT EST DANS SON CORPS

Les enfants n'aiment pas apprendre leurs tables de multiplication ? Jouez-leur un tour et faites-les apprendre en les amusant !

L'ÊTRE HUMAIN

« L'être humain est un animal raisonnable. » Le fœtus ressent et s'adapte. Les expériences qu'il vit se fixent dans la mémoire de son corps. Si c'est bon, il dit oui, sinon il dit non. C'est le déclencheur de la fermeture.

LES CINQ SENS

Déjà, *in utero*, les sens se développent et permettent à l'enfant de stocker plein d'informations qui façonneront sa réaction devant les embûches et les plaisirs de la vie.

L'OUÏE

Des cinq sens qui fournissent à l'enfant de l'information sur son environnement, l'ouïe est le premier à entrer en action. En fait, dès que l'énergie des spermatozoïdes est consumée, l'embryon a besoin d'une autre source pour remplacer celle qui vient de se tarir. Il a besoin de trouver une autre façon de se garder en vie, de se développer et d'alimenter ses tissus en croissance. « Rien ne se perd, rien ne se crée », disait Anaxagore de Clazomènes, puis Lavoisier. C'est dans ses oreilles qu'il puisera l'énergie nécessaire pour que chaque élément de son corps

arrive à maturité, mettant ainsi à l'essai ses capacités d'adaptation dès sa naissance.

Il va sans dire que ses oreilles sont aussi à l'état embryonnaire. Elles ne font que capter les vibrations, que l'enfant peut interpréter comme étant bonnes ou mauvaises, mais il ne peut se fier encore à son cerveau pour comprendre. Le fœtus ne saisit pas le sens des mots. Il ne connaît même pas la langue que parle sa mère, ni celle des personnes qui font partie de son entourage, mais il capte des vibrations sonores et se laisse porter par cette vague de sons.

LA VUE

Ce sens a besoin de toute la période de gestation, plus de quelques semaines suivant la naissance, pour arriver à son complet développement. La vue du nourrisson est floue. Avant de parvenir à garder son attention sur les objets, il a besoin de temps pour s'habituer aux dimensions qui structurent son environnement, puis il doit se familiariser avec la figure des gens et les objets qui l'entourent.

C'est alors que le bébé est fin prêt pour capter toute l'information nécessaire à l'hémisphère droit de son cerveau, où se loge l'engramme de ses perceptions. Plusieurs ouvrages scientifiques ont bien documenté comment les yeux stimulent cette partie du cerveau. Nous y gravons les images qui deviennent les matériaux qui étoffent notre imaginaire, notre créativité, et qui permettent notre adaptation, à partir de nos émotions tout autant que de nos intuitions. C'est connu, le cerveau utilise les images déjà fixées en mémoire pour enclencher le processus intellectuel, permettant alors aux engrammes de nouvelles images de se fixer, lesquelles, à leur tour, nous fourniront les matériaux nécessaires à la mémorisation de nouvelles images.

C'est ainsi qu'il nous est possible d'utiliser le visuel pour communiquer notre pensée à autrui. Ces images, précises, sont créées à partir de concepts bien saisis par l'enfant. Il pourra en créer d'autres à partir de celles-là. Une idée que nous voulons faire entendre sera alors articulée grâce à notre banque d'images, d'où l'intérêt de stimuler le nourrisson. Mais attention ! Trop le stimuler sur le plan visuel présente un danger, celui de créer un décalage entre l'ouïe et la vue au détriment de l'écoute, car l'image est facile d'accès et nous offre plusieurs possi-

bilités pour présenter l'information. Nous sommes nombreux à être bien intentionnés et à stimuler les enfants. On leur présente des objets de couleurs vives, des illustrations précises, des jeux intéressants, des jouets stimulants. Mais, dès que nous ne nous préoccupons pas de développer l'ouïe avec la même intensité que la vue – car les deux sens doivent être développés simultanément pour assurer un support symétrique à l'influx nerveux –, notre capacité d'écoute s'en trouve affectée.

LA VUE ET L'OUÏE EN TANDEM

Voilà comment s'installe ce qu'on appelle un déficit ou un dysfonctionnement de l'écoute centrale. Ce dysfonctionnement se met en place lorsque l'enfant ne se sert que de la vue pour décoder son environnement, alors qu'il a aussi besoin de son ouïe pour lui donner de l'information sur 360 degrés.

Le sens de la vue lui donne uniquement accès à ce qui est présent à l'intérieur de son champ de vision. De plus, c'est avec le son que l'on stimule la partie de l'hémisphère gauche du cerveau où s'installe la structure langagière. Autrement dit, les sons donnent à l'enfant les bases, les vibrations et les repères auditifs qui vont lui permettre par la suite de construire des phrases et d'exprimer ses idées clairement.

Les enseignants et les parents doivent stimuler la vue et l'ouïe avec la même ardeur. Il faut éviter de créer un déca-lage, car il en découle une panoplie de problèmes au cours des apprentissages scolaires. Façonner un cerveau à partir d'une parcelle de l'information ne peut le rendre totalement efficace à transférer une information complète. Il faut donner à l'enfant la possibilité d'exploiter toute sa capacité intellectuelle. Notre objectif n'est-il pas de lui apprendre à élaborer et à réussir toutes les étapes nécessaires pour que ses réalisations soient satisfaisantes pour lui et les autres?

AH! L'IMAGE

«Une image vaut mille mots.» Dès que l'œil voit une image, il en saisit le message. Elle donne tout de suite au cerveau des détails d'importance qui touchent la structure, l'espace, les couleurs, les ombres et les intensités, de sorte qu'on puisse appréhender, recevoir, capter la réalité. Non seulement la vue nous permet de voir l'environnement extérieur, mais elle nous permet aussi de récupérer l'image déjà présente dans notre cerveau, juste en fermant les yeux. L'hémisphère droit du cerveau est l'endroit où se forme l'image. C'est le siège de l'imagination, de la créativité, c'est là qu'on façonne la représentation d'une émotion et où on se permet de construire ses intuitions. On a une vision de ce que l'on projette, dans ses réalisations, dans un écrit, dans une musique, dans tout ce que l'on veut mener à terme. L'importance de la vue est telle qu'on s'y intéresse beaucoup.

Conséquemment, on prend l'habitude de fonctionner avec elle, sans trop se préoccuper des autres sens. On demande aux enfants : fais-moi le dessin de ce que tu aimes le plus ou fais-moi le dessin de l'histoire que tu veux me raconter. Effectivement, par l'image, on donne accès à l'enfant à ce qu'il est déjà capable de concevoir dans son imaginaire, à ce qu'il veut représenter. Il peut utiliser cette image, la peaufiner et en faire un beau dessin ou une sculpture. Il faut l'inviter à faire un autre pas, à aller vers une rime ou une chanson, parce qu'on peut très bien rythmer une image aussi.

L'HUMAIN EST UN ANIMAL QUI SAIT SE PROTÉGER

Il faut stimuler par l'apport visuel l'hémisphère de l'œil – l'hémisphère droit du cerveau. Se servir de l'information visuelle lorsque l'on transmet une consigne à un enfant lui permet d'imaginer. Il aura ainsi accès à tout le potentiel de sa créativité.

La stimulation et l'accès à son ouïe — l'hémisphère gauche — permettent le développement de l'estime de soi. Les enfants, comme les animaux, réagissent vivement à leur environnement; ils sont mobiles et ils s'adaptent. La mémoire du corps installe en eux une information. Une fois cette information accessible, ils choisiront la meilleure façon de se protéger. Plus leurs choix leur auront été favorables – pour éviter les moments pénibles et souffrants –, plus souvent ils y auront recours.

C'est ainsi qu'on développe une technique de protection. On y fait appel dès qu'un inconfort ou une menace se fait sentir. Ça devient notre premier choix, notre façon d'être, notre comportement habituel.

NE PAS SAUTER AUX CONCLUSIONS TROP VITE

De l'extérieur, on observe l'enfant et on se base sur cette observation pour s'en faire une opinion. On se trompe souvent sur l'enfant. On dit qu'il a telle ou telle personnalité, alors qu'il s'agit souvent de la façon dont il réagit, de ses premières perceptions, de la mémoire de son corps.

C'est le point de départ de notre réflexion. Les sens amènent l'enfant à étoffer sa mémoire du corps pour ensuite favoriser une façon d'être plutôt qu'une autre. Il s'adapte à son environnement à partir des informations qu'il a eues, privilégiant toujours cette façon de faire. Il a la conviction qu'il est préférable pour lui de se comporter ainsi, évitant l'engramme d'une souffrance. Voilà pourquoi les enfants résistent et voilà pourquoi nous avons tendance à dire que

c'est leur caractère. Mais, en fait, c'est la façon de faire qu'ils ont choisie, parce que ça leur a été profitable. Ils se protègent d'une souffrance.

L'enfant est prêt à tout pour sa survie : crier, manipuler, se priver de nourriture, de sommeil et du langage, et même diminuer ses apprentissages. Tout pour que maman redevienne la forteresse de sécurité et de béatitude. Nous, nous souhaitons qu'il se développe au maximum et qu'il développe ses habiletés, ses talents. Nous nous appuyons sur ses moyens, ses héritages génétiques, ses forces. Il y a des enfants qui sont plus kinesthésiques, sportifs, danseurs, sculpteurs, travailleurs manuels ; d'autres sont plus « intellos », ils se tournent vers l'écriture, le dessin ou la musique pour s'exprimer. C'est un chemin qui leur convient très bien. Et c'est parfait !

... NI BRIMER L'ENFANT

Le problème vient du fait qu'on impose des limites à l'enfant, qu'on le brime, qu'on lui dit : « Toi, tu n'es pas sportif, alors il vaut mieux que tu restes tranquille et que tu fasses des dessins. » Est-ce que c'est une façon d'agir qui va permettre à l'enfant de réussir pleinement sa vie ? Non. Les enfants ont pourtant toutes les options en eux.

Les enfants utilisent leur corps davantage que leur intellect. Ils n'ont pas encore suffisamment développé leurs circuits neurologiques pour pouvoir dire qu'ils sont capables de ceci et incapables de cela. Mais ils ont la capacité de percevoir et ils utilisent toutes leurs perceptions. Il faut leur donner le temps de travailler toute leur capacité visuelle, donc de visualiser ce qu'ils veulent faire, puis passer par une écoute véritable du message, filtrée par leur désir. Ils seront ensuite en mesure de traduire cet élan de vie dans un toucher, une manifestation, une création, une création originale. S'ils aiment, ils auront l'énergie pour s'investir dans toutes sortes explorations connexes.

VISUEL OU AUDITIF ?

Une intelligence ne se développe pas par une seule porte d'entrée. Malheureusement, c'est une conviction répandue dans le milieu scolaire. L'enseignant qui a affaire à un enfant visuel se donnera beaucoup de mal pour lui présenter les notions à l'étude à l'aide de matériel visuel et l'enseignant qui a affaire à un enfant auditif sollicitera davantage sa perception auditive.

Il est urgent de corriger cette façon de faire. L'enfant a besoin d'expérimenter, de vérifier comment il peut, avec l'apport de ses cinq sens, se valoriser. Il doit s'adapter à son environnement avec les moyens dont il dispose. Si on sollicite l'intérêt des enfants d'une façon visuelle – parce que c'est plus facile ainsi –, on réduit la stimulation des autres sens. Ils n'ont plus accès à toute leur capacité. De nos cinq sens, trois sont des sens de contact direct : le toucher, le goût et l'odorat. La vue et l'ouïe permettent les perceptions à distance. L'utilisation des sens permet d'élargir le prisme de ses expériences.

INTELLIGENCE ÉMOTIVE ET INTELLIGENCE BRUTE

Afin de permettre à l'enfant d'utiliser toutes ses ressources, il faut développer l'intelligence émotive, au même titre que l'intelligence brute, tel qu'entendu généralement. Faut-il le rappeler, sauf pour certains individus qui ont des difficultés le plus souvent décelées dès la naissance, on naît intelligent. Tous ces enfants intelligents doivent pouvoir gérer les perceptions issues de leurs cinq sens pour les utiliser. Ils sauront en profiter et réussiront au moment de réaliser projets et travaux. La satisfaction précède toujours la motivation.

MÉCANISME DE DÉFENSE

Évidemment, les premières perceptions s'installent à partir de l'attitude de maman, de papa ou de quiconque les remplace. Ils deviennent des personnes-ressources pour les enfants. Avec eux et à partir d'eux, les bébés saisissent rapidement l'enchaînement action/réaction selon la façon dont on répond à leurs demandes. Bébé se manifeste (X) et voilà que papa ou maman lui donne Y. C'est parti, s'il veut Y, eh bien! l'enfant n'aura qu'à répéter son premier geste X. Par exemple, s'il pleure à cause d'une colique et que maman s'empresse de lui masser le ventre, il reçoit un message de soulagement et de grand plaisir. Il comprendra très rapidement que, dès qu'il crie, maman le réconforte et le soulage. C'est ce qu'il recherche. Dès qu'il ressentira un inconfort, il criera! Quelle belle découverte! Ce bébé deviendra probablement très difficile, car, s'il n'obtient pas ce qu'il demande, il criera plus fort et plus longtemps. Heureusement, une fois les coliques passées, on pourra lui apprendre une façon d'être beaucoup plus efficace et satisfaisante pour chacun.

Certains enfants sont continuellement en réaction pour des raisons qu'ils ne peuvent pas expliquer. On croit que c'est leur tempérament. Attention, peut-être sont-ils en train d'installer une habitude, car, devant telle attitude de maman, ils adoptent toujours le même comportement. Cette manière d'être avec maman devient une habitude, un automatisme. Se crée ainsi une relation souvent pénible. L'un contrôle, l'autre résiste. Ils sont tous les deux coincés parce qu'on a utilisé à outrance une combinaison de réactions

sans chercher à simplement changer de façon d'agir.

C'est indispensable, pour nous, adultes, de reconnaître dans quelle situation nous nous trouvons. Achetons-nous la paix pour éviter la crise? Sommes-nous dans une attitude de compensation? Dans un comportement de réaction et non dans notre propre intégrité? Voilà les premières questions que nous devons nous poser pour améliorer notre relation avec l'enfant. L'écoute est la première étape pour parvenir à une communication satisfaisante.

L'ÉCOUTE EST UN PUISSANT REPÈRE

L'oreille étant le centre de l'équilibre, une difficulté relative à l'écoute entraîne une difficulté relative à l'équilibre. Si on a bu un peu trop de vin, on anesthésie son centre d'écoute. Plus moyen de stimuler l'oreille interne. L'équilibre se désorganise, le dysfonctionnement s'installe, la marche est difficile. On est sans repère spatial.

- On sait que l'oreille est le centre de l'équilibre.
- On sait aussi que l'oreille nous permet d'entendre nos idées parce qu'on les écoute de l'intérieur.

- On sait que l'écoute extérieure nous permet d'entendre les idées des autres grâce à la parole, qu'on peut analyser.

L'ouïe nous donne donc accès à qui nous sommes, tout en nous outillant pour gérer d'une façon efficace et bénéfique l'information qui nous vient des gens, des bruits, des sensations et de la musique autour de nous. Capter la vibration qui vient de l'extérieur, la jumeler à ma vibration intérieure et me voilà en harmonie ; je peux rester concentré sur une tâche et la compléter avec succès.

DÉVELOPPER LE LANGAGE

Quand nous sommes capables de visualiser une idée, un projet de façon organisée, localisée — temps et espace —, nous sommes capables de développer le langage.

L'hémisphère gauche du cerveau est le centre de la structure, de la logique, du langage et des mathématiques. S'il y a une perturbation dans l'oreille interne, une désorganisation ou une désynchronisation du message entendu, le cerveau ne recevra pas une information juste. Donc, s'il y a une dysfonction auditive — par conséquent, une façon inadéquate d'analyser le son entendu — et que le temps et l'espace ne sont pas des ancrages adéquats, on ne pourra pas entendre correctement le message. Conséquemment, on ne le décodera pas correctement et l'hémisphère gauche du cerveau ne pourra pas réagir adéquatement.

TROUBLE D'APPRENTISSAGE CHEZ LES ENFANTS : QUOI FAIRE ?

Pour aider les enfants qui connaissent des difficultés d'apprentissage, il nous faut évaluer s'il y a dysfonctionnement de l'écoute centrale. Si tel est le cas, il faut stimuler régulièrement l'oreille afin qu'elle discerne les sons correctement et qu'elle fournisse au cerveau une information exacte, de façon qu'il puisse l'utiliser de façon bénéfique. Par la suite, il fera savoir au corps ce qu'il devra dire ou écrire ou la façon dont il devra bouger selon le message reçu. Il faut donc préparer nos interventions en sachant que l'ouïe :

- donne accès à l'hémisphère gauche du cerveau ;
- est le centre de l'équilibre ;
- assure la structure et l'organisation dans le temps et dans l'espace ;
- développe une logique qui mène au langage ;
- doit capter le son au bon moment et que les deux oreilles doivent agir de concert.

Évaluer l'écoute centrale nous informe de sa réelle capacité d'analyse. Cette évaluation doit se faire avant de poser un diagnostic touchant le cerveau.

En résumé, il faut vérifier si l'oreille interne achemine un message clair au cerveau, de façon que ce dernier puisse l'utiliser de façon adéquate, favorisant ainsi une réponse efficace et conforme à la réalité.

■ LA ROUE DU LANGAGE

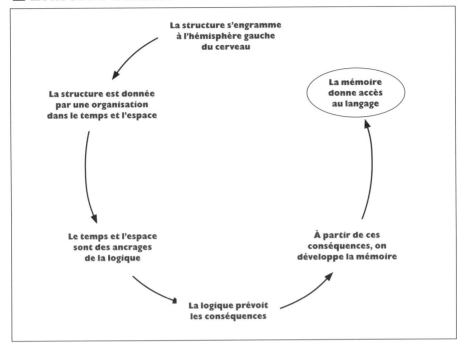

La structure s'engramme
à l'hémisphère gauche
du cerveau

La structure est donnée
par une organisation
dans le temps et l'espace

La mémoire
donne accès
au langage

Le temps et l'espace
sont des ancrages
de la logique

À partir de ces
conséquences, on
développe la mémoire

La logique prévoit
les conséquences

Si les yeux stimulent les capacités cérébrales de l'hémisphère droit et que les oreilles stimulent les capacités cérébrales de l'hémisphère gauche, l'organisation des circuits neurologiques se fait de façon idéale. L'enfant grandit, et il devient capable de s'exprimer et de se faire comprendre. L'enfant qui naît intelligent doit pouvoir exploiter tout son potentiel. Notre rôle est de favoriser le développement des circuits neurologiques nécessaires à sa réussite. Résultat :

- ses réalisations seront intelligentes, intéressantes et appréciables ;
- ses notes seront au-dessus de la moyenne ;
- ses connaissances pédagogiques lui permettront de passer à la prochaine étape.

Voilà comment se manifestent les génies ! D'abord, ces personnes ont une vision extraordinaire sous l'impulsion de l'hémisphère droit de leur cerveau. Ensuite, ils concrétisent cette idée à l'aide de l'hémisphère gauche, qui utilise des repères tels le temps, l'espace, les structures et la logique pour réaliser leur projet. N'est-ce pas là l'objectif de tout pédagogue ?

L'écoute permet un apprentissage sans difficulté parce qu'on fait appel en même temps à l'hémisphère droit et à l'hémisphère gauche du cerveau afin de développer le potentiel maximal de l'intelligence et être satisfait de ce que l'on a vécu. Bref, tendre à la sagesse.

Flash McQueen

Voici l'expérience que j'ai vécue avec un élève qui, déjà à quatre ans, avait un sérieux problème d'articulation. Cet enfant, je l'appellerai Flash McQueen en l'honneur de son idole, car il veut, lui aussi, gagner toutes les courses. Il aime mon choix, ça lui convient.

Flash McQueen naît après une grossesse à terme, sans problème. Au moment de l'accouchement, toutefois, à la toute fin du travail, le médecin constate grâce à une échographie que c'est le pied gauche de l'enfant qu'il voit et non pas sa tête. L'échographie montre aussi que la jambe droite est repliée. Une naissance par les voies naturelles obligerait l'enfant à subir une chirurgie du bassin. Une césarienne s'impose donc. Les contractions sont très rapprochées, les médecins ont peu de temps pour intervenir. D'urgence, on pratique la césarienne et, afin qu'il ne soit pas coincé par une autre contraction, on s'empresse de sortir l'enfant en le tenant par la tête, car c'est le seul moyen d'éviter qu'il se déboîte le bassin.

Tout se passe normalement. Le test d'Apgar révèle que Flash est un peu mal en point, mais il récupère dans la minute qui suit. Les médecins rassurent les parents. L'enfant n'aura aucune séquelle permanente. Et c'est vrai : il se développe normalement, il a bon appétit. Toutefois, son sommeil est difficile et, pour lui, y sombrer est une période toujours stressante. On doit le bercer, marcher, chanter. Ses parents ont beaucoup de difficulté à le garder dans un état de calme favorisant le sommeil. Conséquemment, on pense qu'il a un caractère difficile. Puis, on se rend compte qu'il préfère certaines positions. Par exemple, il n'aime pas être couché sur le dos. Mais, comme c'est la mode de coucher les enfants de cette façon, on amplifie son inconfort. En lui refusant la position rassurante qu'il connaît bien – la position fœtale –, on contribue à garder en éveil un engramme difficile à vivre pour sa mémoire cellulaire. Lui, pour se protéger, veut rester très vigilant, afin d'éviter de revivre l'expérience de sa naissance. C'est un réflexe de survie inconscient, normal.

Le reste va très bien. Il se développe rapidement et normalement. Il mange bien, il est déjà fort et sa courbe de croissance ne présente aucune anomalie. On constate toutefois qu'il régurgite facilement, tout comme le faisaient papa et grand-maman, mais on s'en préoccupe peu, même si c'est de plus en plus fréquent, surtout quand il mange rapidement ou qu'il a trop faim. Bref, l'enfant n'a pas de problèmes, si ce n'est des problèmes de sommeil et de régurgitation qui ne laissent pas présager de problèmes plus graves. Au moment de ses premiers pas, tout va bien. Sa compréhension se développe et il répond très bien au langage verbal de ses parents, qui favorisent son apprentissage par la lecture de mots et d'histoires, comme ils l'avaient fait avec sa sœur aînée. Flash porte beaucoup d'intérêt aux mots à répéter et il semble très intéressé par le son, la communication et le langage. Toutefois, on s'aperçoit rapidement qu'il a une grande difficulté à reproduire le message sonore pourtant bien entendu. Comme je le connais depuis toujours et que j'ai été témoin de son développement, j'ai pu observer ces symptômes et les utiliser comme pistes au moment de l'évaluation.

Les parents ainsi que l'entourage de Flash, qui allait avoir quatre ans, étaient très préoccupés par le fait qu'il ait de la difficulté à articuler et à se faire comprendre. De ce fait, déjà à la garderie, il manifestait un comportement plus agressif que la majorité des enfants. Il comprenait ce que les autres enfants disaient, mais il ne parvenait pas à se faire comprendre, même par les éducatrices. Il était frustré. C'était un enfant intelligent, actif, en bonne santé et d'un tempérament vif. Sa frustration allait en grandissant et devenait de plus en plus difficile à gérer. Voilà donc

le portrait de Flash lorsqu'on me l'a confié. Les parents craignaient qu'on le compare à sa sœur aînée, qui s'exprimait exceptionnellement bien. Ils ne voulaient pas que Flash se sente rejeté à cause de sa difficulté à articuler.

On a donc évalué son écoute centrale. La courbe a effectivement révélé un très grand écart entre l'oreille droite et l'oreille gauche. Elle démontrait que l'oreille droite percevait les sons, mais que l'oreille gauche ne lui confirmait pas ce qu'il avait entendu. Le cerveau manquait d'information pour que les muscles de sa bouche se positionnent correctement et répètent le son avec justesse. Durant le travail avec lui, j'ai constaté que les sons qu'il n'émettait pas clairement étaient tous des sons dont la vibration se fait au niveau de la gorge. J'ai alors compris que, lorsqu'on a pris l'enfant par la tête pour le sortir du ventre de sa mère – ce qu'il fallait faire –, Flash s'est senti étouffé par ce geste. Cette mémoire cellulaire souffrante s'était bel et bien imprimée dans la région du cou, c'est-à-dire de l'avant du cou, précisément à l'endroit où se fait la vibration des sons plus gutturaux. Les sons « K », « GUE », « J », « U » et « EU » étaient absents de son langage. Comme il faisait résonner ces sonorités dans son palais, le son « K » devenait « T » et le son « GUE » devenait « D ».

À force de travailler, l'enfant a retrouvé sa capacité d'écoute, en faisant la paix avec ce premier engramme souffrant de sa mémoire cellulaire. Aujourd'hui, la situation est tout autre. Flash a appris à utiliser des outils pour s'en sortir. Petit à petit, grâce à des exercices, à sa volonté de se faire comprendre et à l'aide de ses parents, il a retrouvé l'accès à tous les sons.

Évidemment, ça n'a pas été facile pour lui d'avoir à revivre sa souffrance. Il y a eu des moments de crise, de fermeture, de rébellion ; il ne voulait plus aller là, ça faisait mal. Il n'était pas intéressé à continuer. Mais le plaisir de se retrouver, d'être capable, de réussir, nous a toujours portés. Au moment où il est entré en maternelle, son problème langagier n'existait tout simplement plus et les professeurs étaient très étonnés d'apprendre que l'articulation de cet enfant avait, par le passé, laissé à désirer.

Avant de travailler à la rééducation de son écoute centrale, j'ai réalisé qu'il avait déjà saisi et mémorisé le concept des mots et la structure de la phrase. De plus, il se mobilisait pour comprendre ce qu'on lui disait. Il y a toujours eu entre nous un contact visuel franc, une ouverture à l'écoute. Intelligent, il avait des choses à exprimer parce qu'il y avait déjà dans son cerveau des images claires. Il n'arrivait tout simplement pas à articuler les sons clairement. Nous étions alors dans l'impossibilité d'utiliser les vibrations qu'il émettait, ce qui était la source de nos frustrations réciproques. Les échanges se vivaient dans la tourmente plutôt que dans l'harmonie.

À la fin de la maternelle, Flash réussit très bien. Il a plein d'amis. Il n'a plus recours à l'agressivité dès qu'il se sent contrarié ou menacé. C'est un enfant très

intelligent et très intense, un petit garçon qui est plein d'énergie, mais dont les pulsions ne sont pas encore tout à fait maîtrisées. Toutefois, on ne s'attend pas à ce qu'il devienne sage comme une image.

Non, c'est un joueur de soccer, c'est un skieur, c'est un nageur, un enfant qui veut jouer, qui veut échanger, qui veut gagner. Il est physique, kinesthésique. Il sait maintenant ce qui est prioritaire et il devient de plus en plus habile dans le choix des moyens pour capter son idée et l'exprimer. À six ans, il a accès à ses ressources propres. Il peut être en contact avec les enfants de sa classe et ainsi mieux vivre les activités de jeux. Avec les entraîneurs, les parents, les voisins, c'est un enfant qui exploite son plein potentiel. Par contre, nous, intervenants, devons être vigilants. C'est un enfant et, à six ans, on n'a pas encore atteint une maturité d'adulte. Il a retrouvé sa capacité d'écoute ; on n'a pas changé son caractère ni ses élans de vie. Il faut continuer d'investir dans cette écoute pour qu'il la développe, le rendant ainsi de plus en plus apte à écouter ses idées, à créer une image, à s'exprimer afin d'arriver à des réalisations satisfaisantes et à des rapports harmonieux.

Redonner à l'oreille la place qui lui revient, donner la chance à l'enfant de profiter des perceptions provenant de son environnement extérieur complet, lui donner accès à son écoute intérieure, à sa capacité de transmettre ses idées, de créer une image pour ensuite la faire vibrer à partir de son élan de vie, et lui permettre d'être authentique et vrai. La porte de l'écoute intérieure et extérieure s'ouvre de plus en plus à mesure que se développe notre habileté à être en relation et à intervenir auprès des autres.

Chapitre 3

LES **MALADIES** DE L'**ÉCOUTE**

« Le langage dynamisant sert à renforcer la valorisation des élèves et leur image de soi, de même qu'à développer des compétences sociales. »

Isabelle David, France Lafleur et Johanne Patry[2]

2   David, Isabelle, France Lafleur et Johanne Patry. *Des mots et des phrases qui transforment*, Les Éditions de la Chenelière Inc., 2004.

On sait maintenant que l'enfant est dans son corps. À l'aide de ses cinq sens, il perçoit son environnement, l'analyse et s'y adapte. On sait aussi que, si on stimule davantage l'un que l'autre, on crée un décalage entre la vue et l'ouïe, qui sont tous deux nécessaires pour fournir une information complète et simultanée au cerveau. Dans ce chapitre, nous verrons quelles sont les conséquences et les difficultés d'écoute qui découlent d'un déséquilibre entre la perception visuelle et la perception auditive. C'est ce qu'on appelle une écoute centrale en dysfonctionnement.

MA TECHNIQUE POUR POSER UN DIAGNOSTIC

Pour évaluer les maladies de l'écoute, je me sers des courbes qui sont à la base des travaux du Dr Tomatis. Plus tard, Lucie de Vienne les a utilisées et retravaillées en les adaptant aux difficultés rencontrées par ses clients, puis, elles ont été enrichies ou améliorées à leur tour grâce aux expériences et aux travaux de François Louche. À partir des observations que j'ai faites sur l'interprétation de ces courbes en fonction des apprentissages scolaires, j'ai défini des

profils de l'écoute centrale en dysfonctionnement, en parallèle avec les difficultés que nous sommes en mesure d'évaluer et de constater en milieu scolaire, soit :

• la dysphasie ;
• la dyslexie ;
• le déficit de l'attention ;
• l'hyperactivité.

MAL ENTENDRE NE VEUT PAS DIRE ÊTRE SOURD

Si l'oreille n'est pas capable d'analyser un son qu'elle entend pourtant parfaitement bien, ça ne veut pas dire que les gens sont sourds ! C'est vraiment la justesse et la rapidité de l'analyse du son qui sont en cause. Toute dysfonction est la conséquence d'un manque de stimuli de l'oreille interne, et non d'une malformation ou d'une débilité mentale quelconque. Ma priorité est très claire. Amener mes étudiants à capter avec justesse toutes leurs perceptions auditives pour réussir à les utiliser simultanément avec celles de la vue.

LES TROUBLES DE LA COMMUNICATION

Selon la nouvelle entente nationale (2005-2010) entre le gouvernement et la Centrale de l'enseignement du Québec (CEQ), un élève éprouve ou non des troubles de communication selon les critères établis à partir de l'évolution de son langage, de son expression verbale, de ses fonctions cognitivo-verbales et de sa compréhension verbale.

LES CAUSES DES DYSFONCTIONNEMENTS DE L'OREILLE

Les trois principales causes d'un dysfonctionnement de l'écoute centrale sont :
- les tares ;
- les otites à répétition ;
- les traumatismes.

La cause la plus fréquente est l'hérédité. On s'en rend compte lorsque plus d'un enfant de la même famille présente un dysfonctionnement ou que l'un des parents reconnaît avoir vécu les mêmes difficultés que son enfant à l'école.

La deuxième cause la plus importante serait les otites à répétition en très bas âge. Le tissu tympanique, gonflé et infecté, priverait le bébé d'une stimulation auditive capitale à un moment où le spectre auditif est très large. Comme la nature ne conserve pas ce qui ne lui sert

pas, l'oreille n'utiliserait plus certaines de ses précieuses capacités d'analyse, le bébé voulant éviter de ressentir une douleur vive. À chaque stimulus, il se couperait de plus en plus de ce qu'il ressent.

La troisième cause relève de traumatismes sérieux au moment où le cerveau ne peut pas analyser le pourquoi d'une difficulté. Le cerveau limbique de l'enfant enregistre alors les souffrances découlant de ce traumatisme à partir des perceptions que ses cinq sens lui transmirent alors.

LES TRAUMATISMES DÉCLENCHEURS

Il ne veut plus entendre la peine, l'inquiétude et la souffrance engendrées par l'expérience de ce traumatisme dans l'environnement précis où il avait lieu. Je pense ici aux enfants qui vivent une difficulté au moment de l'accouchement. Il ne s'agit pas d'une difficulté qui engendre des séquelles permanentes mais des engrammes importants. L'enfant a gravé dans son cerveau limbique qu'il a été préférable pour lui de bouger ou de ne pas bouger selon la situation afin de rester en vie au moment de sa naissance.

C'est le cas, par exemple, pour le nouveau-né au moment de l'accouchement qui :

- se sent étouffé ;
- manque d'oxygène parce que le cordon ombilical est enroulé autour de son cou ;
- se présente les pieds en premier ou de face ;
- a une maman qui présente un problème de la santé ;

Les naissances longues ou compliquées ne laissent pas de séquelles permanentes. Elles causent cependant un stress important qui s'imprime dans le cerveau. Aucun diagnostic médical n'y est rattaché, c'est vrai. Les enfants qui ont souffert d'anoxie, souvent causée par une mauvaise position du fœtus ou encore par l'utilisation de forceps, savent que cela entraîne une perception de profond malaise. Ces inconforts sont pour notre nouveau-né de réels traumatismes.

Un de ces traumatismes, impossible à évaluer sur le coup, est généré par l'adoption. Les enfants adoptés vivent la séparation comme tel. Je n'ai rien contre l'adoption. J'ai moi-même adopté ma fille. Mais l'engramme de la coupure quant à la communication verbale est déjà fixé. L'enfant est privé de la voix rassurante de sa maman.

À la naissance, le bébé reconnaît la voix de sa mère, qu'il a entendue *in utero*. Il perçoit la vibration de cette voix grâce à l'ossature et aux liquides maternels. Or, cette communication est coupée au moment d'une adoption. Et cette coupure fait en sorte que l'enfant perd le repère qui lui permettait de vivre une continuité entre l'intérieur et l'extérieur. Établissons le cycle.

- Le poupon reconnaît la voix de sa mère.
- Il veut rester en communication avec cette personne qu'il a entendue *in utero*.
- Avec elle, il est en confiance.
- Elle va continuer avec lui le chemin qu'elle a commencé, c'est-à-dire celui de la vie.
- Elle verra à son développement.
- Il pourra alors acquérir sa propre mobilité, son indépendance, son autonomie.

Les enfants qui ont été adoptés, que ce soit en bas âge ou pas, ont toujours présente en tête la possibilité d'une autre coupure et, donc, le risque de perdre la vie. Bien sûr, l'enfant n'est pas attaqué ni maltraité ni mal nourri, mais il associe son besoin de communication à son développement, à sa vie, et il craindra pour cette dernière si une coupure survient.

LES OTITES À RÉPÉTITION

Les otites sont sources de traumas. L'infection atténue le son, le rend moins clair, moins vibrant, et l'oreille interne n'est pas suffisamment stimulée.

La douleur est aussi un stress, elle nuit à son élan de vie. C'est donc quelque chose que l'enfant cherche à éviter. Il ne veut plus utiliser ses oreilles parce que ça fait mal.

En même temps, l'oreille n'est pas suffisamment stimulée parce que l'infection empêche la vibration sonore de parvenir à l'oreille interne. Elle aurait besoin d'être stimulée pour être capable d'analyser le son avec justesse et traduire l'information perçue dans le langage, et par extension la lecture et l'écriture. C'est ce qui permet de réussir à l'école.

L'HÉRÉDITÉ

L'hérédité joue aussi un rôle de premier plan. Les parents transmettent à leur enfant, au moyen de l'ADN, un tissu susceptible de manquer de tonus qui ne réagira pas bien aux stimuli sonores. L'enfant, en plus d'avoir cette tare, aura à vivre avec un parent qui a aussi une difficulté relative à l'écoute. Par conséquent, l'enfant hérite d'un environnement qui ne favorise pas la stimulation de son oreille.

QU'EST-CE QUE L'ÉCOUTE AÉRIENNE?

Deux facettes du problème s'offrent à nous quand l'oreille interne ne réussit pas à faire une analyse juste du son entendu: la difficulté et sa cause. Le physique et le psychologique. Il est impossible de travailler à une rééducation auditive sans toucher aux deux aspects, car

c'est par l'affect que les engrammes s'impriment la partie du cerveau qui garde ou imprime les premières expériences. —cerveau reptilien ou ancien cerveau —, celui de la perception des informations fournies par l'environnement.

Pour nous, adultes intelligents jouissant d'une bonne capacité d'analyse cérébrale, il semble parfois difficile de comprendre la source de tant de problèmes liés à l'apprentissage ou au comportement chez l'enfant. Déterminer uniquement les causes ne change rien à la réalité de l'enfant et ne nous donne pas les outils pour l'aider à s'en sortir.

L'ÉLABORATION DES PROFILS

À l'aide des écrits du Dr Tomatis, de ceux de Lucie de Vienne et des expériences que j'ai partagées avec François Louche, j'ai étudié le résultat des tests relatifs à l'écoute centrale faits en milieu médical sur des enfants qui connaissent des difficultés d'apprentissage. En me basant sur les données acoustiques et médicales en même temps, j'observais les réponses incorrectes de ces enfants et j'en suis arrivée à définir certains profils d'écoute centrale. Cela nous amène à mieux expliquer les maladies de l'écoute.

Lorsqu'on parle de défaut, lorsqu'on parle de problème, on parle de dysfonctionnement, mais, avant de déterminer si effectivement il y a problème, il faut avoir un repère. Le repère pour un bilan de l'écoute centrale, c'est ce tableau représentant la courbe du profil d'une écoute centrale dite normale et exacte, donc idéale.

Les quatre critères importants de cette courbe de l'écoute centrale idéale sont :

1. l'acuité ;
2. la perception par l'oreille droite ;
3. la confirmation par l'oreille gauche ;
4. la modulation.

L'ACUITÉ

D'abord, les oreilles doivent capter le son à une fréquence supérieure à 30 décibels. Trente décibels, c'est la limite minimale pour une écoute et une acuité normales. Si la perception est en deçà de la barre des 30 décibels, on est en présence d'un enfant dont l'acuité auditive est déficiente. Il faudra donc corri-ger le problème, par exemple à l'aide de prothèses.

Par contre, même si la limite minimale est de 30 décibels pour les adultes, je préconise 20 décibels pour les enfants. Les perceptions des enfants sont très vives : leur corps les renseigne. Ils captent les sons avec plus de rapidité qu'un adulte. Ainsi, les 11 fréquences évaluées pour l'écoute aérienne doivent toutes se situer au-dessus de la barre des 20 décibels. En fait, le volume perçu doit être moindre que 20 décibels. Voilà un premier repère.

LA PERCEPTION PAR L'OREILLE DROITE

Le deuxième paramètre important à évaluer, c'est la perception de l'oreille

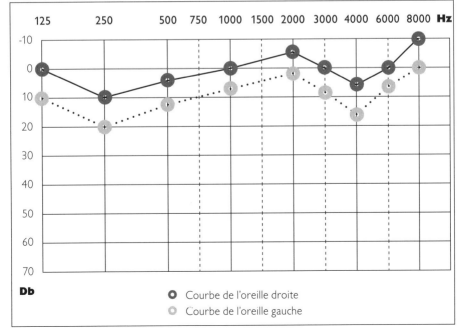

■ GRILLE D'ÉCOUTE AÉRIENNE : PROFIL IDÉAL

○ Courbe de l'oreille droite
◔ Courbe de l'oreille gauche

droite. Elle doit toujours être plus rapide que celle de l'oreille gauche. L'oreille droite doit capter l'onde sonore la première pour l'acheminer aussitôt vers l'hémisphère gauche du cerveau, où se trouve le centre du langage. L'oreille gauche doit ensuite confirmer, et approuver, la justesse du son qu'elle a entendu. Une fois que les deux oreilles sont bien synchronisées, l'hémisphère gauche du cerveau reçoit l'analyse d'un son juste à la vitesse normalement requise.

Il est primordial que l'oreille droite capte le son la première, même si l'enfant est gaucher, parce que ce sont deux circuits très différents.

LA CONFIRMATION PAR L'OREILLE GAUCHE

Pour bien remplir sa mission, l'oreille gauche doit capter la vibration sonore après l'oreille droite, mais pas plus, — le temps de capter 5 à 10 décibels de décalage — parce qu'un trop grand écart de perception entre l'oreille droite et l'oreille gauche ralentit et perturbe la réception de l'information. Le cerveau ne peut pas l'utiliser adéquatement.

En effet, lorsque l'oreille droite capte le son à une vitesse normale, donc au bon décibel, et que l'oreille gauche est très en retard, la synchronisation est ratée. L'oreille droite envoie alors un écho à l'hémisphère gauche du cerveau. La gauche envoie une deuxième fois l'information qui a été comprise à retardement. Ceci crée une distorsion quant à l'analyse du son, ce qui crée souvent chez les enfants un problème de langage. Nous verrons plus loin ce qu'est la dysphasie, mais disons simplement pour l'instant que, lorsque l'oreille droite capte le son normalement et que l'oreille gauche est en retard, il se crée chez l'enfant une espèce de déconnexion.

Dans ce cas, l'enfant – ou l'adulte – reçoit par l'oreille droite un message que la gauche ne vient pas confirmer. Il y a donc une déconnexion, une coupure, et l'enfant n'est jamais certain que ce qu'il a entendu est exact. Non satisfait de ce qu'il reçoit, il décroche. Du fait qu'il décroche, il ne s'intéresse pas à la reproduction du son. Comme il ne s'intéresse pas à la reproduction du son, il ne grave pas les engrammes des sons nécessaires pour développer le langage.

Le langage est fait de sons et chaque son d'un mot est rendu par une graphie. Pour le lecteur moyen, la graphie s'interprète dans un espace et un temps donnés et reproduit une sonorité, laquelle traduit un message. On entend le mot.

LA MODULATION

La sonorité véhicule le message. Le timbre de notre voix ou l'effet de la ponctuation à l'écrit traduit notre intention. Dans le graphique, il est capital de voir un mouvement dans la courbe de l'écoute centrale, une ondulation. Les plateaux dans la courbe nous indiquent une fermeture aux ondes sonores. Tout devient monotone et robotisé. Les enfants l'expriment d'ailleurs clairement lorsqu'ils disent : « C'est plate ! »

Nous reviendrons sur cette question dans le chapitre traitant des apprentissages scolaires. Nous verrons comment les engrammes de sons sont nécessaires au développement du langage, de l'écriture, de l'orthographe et de tout ce qui est nécessaire à la réussite scolaire.

LA MOTIVATION

Prenons un exemple, celui d'un enfant dysphasique. Comme ses deux oreilles sont loin de capter le son correctement, il n'enregistre pas le son juste. Il lui sera donc impossible de l'utiliser pour alimenter son cerveau et parvenir à dire le mot. Si on apprend à l'enfant à dire « encore » [en-k-o-r-e], il enregistre ces sons les uns après les autres, puis il les attache les uns aux autres. Quand maman dit « encore », il répète le mot. Il enregistre ainsi l'information sonore dans son cerveau. Et,

d'une expérience satisfaisante à l'autre, l'intérêt pour le langage se développe.

Pour l'enfant, la motivation, c'est la conséquence d'une expérience agréable et profitable qui lui permet de se protéger ou de s'adapter. De la réussite de cette expérience découle la motivation.

Souvent, en milieu scolaire, on croit que la motivation engendre le succès. Je crois au contraire que c'est la réussite qui engendre la motivation. Le désir de vivre ou de revivre une expérience plaisante dans un environnement précis nous motive à faire ce qu'il faut pour que cela se produise.

Quand on dit que les enfants ne sont pas motivés à apprendre, il faut en comprendre qu'ils cherchent plutôt à se protéger. « Je n'utilise pas mes oreilles, soit mon écoute, parce que je sais que ça ne donnera pas le résultat escompté. La conséquence de cela, c'est que je ne serai pas capable, que je ne serai pas bon et qu'on va me juger comme tel. Je choisis de résister aux insistances, car je préfère me protéger de ces catastrophes scolaires. »

L'inquiétude installée, il se protégera pour éviter la souffrance. Plutôt que d'apprendre, il va se défendre. Il est alors en réaction. L'important pour nous, adultes qui voulons entretenir une communication ouverte, c'est de faire la différence et de donner à l'enfant une information juste de sa difficulté.

Quand on dit qu'un enfant n'est pas motivé, on fait donc fausse route. Il faut déterminer où est sa motivation. Si elle est dans le mécanisme de défense qui vise à le protéger d'une souffrance, c'est une réaction à un stimulus d'inquiétude ou, enfin, en rapport avec des émotions qui sont pénibles. Par contre, s'il aime les résultats, s'il comprend qu'en disant «encore» maman fait le même geste, ou lui redonne un morceau de pomme, un verre d'eau ou un biberon, il répètera le mot et maman comprendra le message. Il sera heureux. Son désir sera satisfait. De même, une satisfaction répétée maintiendra sa motivation à apprendre le langage. Mais encore faudra-t-il que son oreille interne lui donne un son exact s'il veut le reproduire clairement.

Les mamans devinent leur bébé. Leur intimité unique a créé une connexion privilégiée. La maman entend et comprend ou devine le message de l'enfant, même si ce dernier n'articule pas bien. Si le mot «encore» est prononcé «entore», la maman le comprendra quand même. Elle répètera donc le même geste. Par contre, lorsque l'enfant arrivera à l'école, les gens ne le comprendront pas et celui-ci va vite s'apercevoir que la communication a été coupée. Le seul choix possible alors: fuir ou agir. Il sera donc parfois effacé, parfois agressif. C'est pour cette raison qu'il faut détecter le problème avant que l'enfant soit en situation d'échec à l'école.

LE RETARD DE LANGAGE

Quels que soient les mots utilisés pour nommer les différents troubles de la communication, dysphasie ou dyspraxie, il n'en demeure pas moins que des engrammes de sons imprécis se sont gravés dans la mémoire. Le cerveau manque alors de précision et ne peut pas donner aux muscles de la bouche toute l'organisation phonologique ainsi que les stimulations nécessaires pour reproduire un son.

Résumons simplement. Pour corriger un trouble de langage, il faut:

- que le son soit clair;
- que le lieu du traumatisme soit précisé dans le corps de l'enfant;
- travailler également l'aspect psychologique du problème, car la vibration du son réveille une souffrance gravée dans la mémoire du corps.

Le retard de langage n'a rien à voir avec l'intelligence de l'enfant, avec la façon dont on l'a stimulé ou avec sa capacité phonologique. Il s'agit plutôt de la mémoire du corps qui envoie un message très clair à l'enfant: «Ne fais rien vibrer dans cette région de ton corps parce que tu souffriras.»

QUAND INTERVENIR?

Nous savons qu'il nous est impossible de ne pas communiquer. L'entourage du nourrisson a hâte d'entendre ses premiers babillages. L'inquiétude s'installe rapidement quand on constate que l'enfant présente un retard de langage.

Avant de parler de difficulté, de trouble ou d'une situation qui n'est pas idéale – donc à corriger rapidement –, il faut donner à l'enfant le temps et l'environnement nécessaires pour lui permettre de stimuler tous ses sens et de parvenir à gérer toute cette information-là. Cette gestion va lui permettre de mettre en place une logique qu'il va pouvoir utiliser par la suite.

Je recommande souvent aux parents de ne pas trop chercher à corriger un problème chez l'enfant avant l'âge de trois ans. Tout peut encore rentrer dans l'ordre. Par contre, il faut rester vigilant, être à l'écoute et observer la façon dont les choses se passent, mais sans sauter aux conclusions. Conclure à une difficulté trop rapidement crée chez l'enfant l'impression qu'il n'est pas normal et qu'il ne sera jamais capable. Il faut faire attention de ne pas transmettre à l'enfant une information – même non verbale – quant à notre inquiétude. Cette dernière peut se traduire dans la vibration de notre voix et l'enfant en déduira que quelque chose nous préoccupe. Il pourra alors s'imaginer qu'on se dit : « Cet enfant-là est en retard. Il ne parle pas. Qu'est-ce qu'on va faire ? Est-il intelligent ? Est-il normal ? »

Souvent, les parents me disent : « Je ne veux pas en parler devant lui parce que je ne veux pas l'énerver. » Mais il est déjà énervé, parce que la vibration de votre voix a déjà traduit votre inquiétude. On se leurre sérieusement si on pense éviter un stress à l'enfant en ne parlant pas d'un problème devant lui, car les enfants perçoivent tout. Leurs cinq sens sont très vifs. Ils sont outillés, ils ont des radars, que nous avons malheureusement perdus depuis que nous avons développé la logique et la compréhension cérébrale.

Les enfants sont en plein développement. Et, pour développer leur capacité intellectuelle, ils ont besoin de prendre le temps d'analyser leurs perceptions pour en arriver à une conclusion. Les enfants sont davantage préoccupés par notre inquiétude non exprimée que vraiment traumatisés. Malheureusement, l'enfant est alors en réaction plutôt qu'en action. Aussi, avant de sauter aux conclusions, donnons-lui le temps, faisons-lui confiance, assurons-le de notre soutien.

Par contre, il ne faut pas attendre que l'enfant ait des résultats scolaires catastrophiques avant de réagir. Une fois à l'école, l'enfant fait face à la diversité et au nombre. Il y a beaucoup de professeurs, beaucoup d'enfants, beaucoup d'activités, beaucoup d'intervenants, beaucoup de bruit... et pas autant de temps pour être entendu qu'à la maison.

Et il y passe toute la journée! Il n'est plus dans un environnement connu et sécurisant. Si son écoute centrale ne lui donne pas accès correctement aux sons, il ne sera pas capable de gérer toute l'information. Conséquemment, il se sentira submergé et étouffé par cette avalanche de messages. Il choisira la fermeture pour se protéger. Le problème s'envenimera, alors qu'il y a des solutions très simples à mettre en œuvre avec les enfants qui n'ont pas encore accumulé plusieurs échecs scolaires.

Intervenir pour réhabiliter un jeune qui connaît des problèmes de communication implique une recherche sur les causes profondes de sa difficulté. Mais n'ayez crainte! Votre écoute le mettra en confiance; il se laissera porter par cette « vague de sons », même s'il ressent encore une fois la souffrance qui l'a marqué. Les jeunes ont besoin de toujours rester en communication avec les adultes responsables de leur bien-être – papa, maman ou leurs remplaçants – qui assurent la continuité dans leur vie.

Si vos doutes persistent, recourez à une évaluation de l'écoute centrale. Cette évaluation peut se faire en milieu médical ou chez un spécialiste. Les résultats seront les mêmes. En utilisant l'information fournie sur l'écoute centrale de l'enfant et en observant ses résultats scolaires, on arrive à déterminer la difficulté qui est en train de s'installer. N'attendons pas les échecs en lecture, en écriture ou en mathématiques pour intervenir.

Idéalement, on devrait évaluer l'écoute centrale d'un enfant juste avant son entrée à la maternelle ou durant la maternelle – donc à cinq ans. Voici en détail les profils d'écoute liés aux différents problèmes. Ils nous permettront de comprendre « pourquoi » et « comment » on intervient avec la vibration de la voix pour stimuler l'oreille interne et corriger la dysfonction.

LA DYSPHASIE

La dysphasie se définit globalement comme un retard important de langage chez l'enfant. Le dysphasique peut présenter un retard quant à l'articulation, à la structure, à la syntaxe ou à la forme nominale. Pour intervenir efficacement, il nous faut d'abord déterminer ce qui est à la source de la difficulté, puis faire un retour sur l'événement déclencheur. Si l'enfant ne peut pas l'exprimer, il faudra déchiffrer ce que son corps nous indique, procéder à une lecture de son corps qui, lui, a tout emmagasiné dans sa mémoire cellulaire. Par exemple, s'il a été victime d'anoxie au moment de sa naissance ou s'il a éprouvé des troubles respiratoires en bas âge, l'enfant a pu associer le bruit désagréable que cela faisait à une douleur. Pensons aux enfants

■ GRILLE D'ÉCOUTE AÉRIENNE : PROFIL DE DYSPHASIE

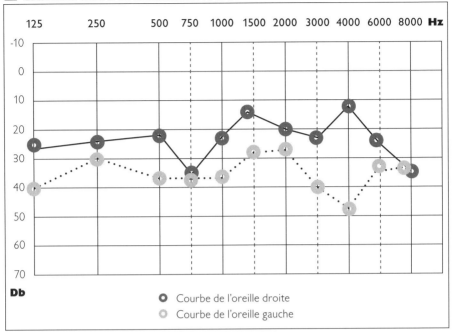

○ Courbe de l'oreille droite
○ Courbe de l'oreille gauche

qui ont la coqueluche et qui émettent un son très rauque. Ce son leur fait peur. Ils se ferment donc à l'écoute.

LA COURBE DU PROFIL DYSPHASIQUE

La courbe décrivant ce cas nous montre le dessin d'un décalage très net entre la perception des oreilles droite et gauche, ainsi qu'une réaction tardive de l'enfant. Cette acuité semble déficiente. Reste à vérifier si une stimulation soutenue lui permettra de récupérer son potentiel. Nous sommes témoins d'un décrochage, c'est-à-dire que l'enfant éprouve des difficultés d'écoute parce que l'oreille gauche ne vient pas confirmer que le son perçu par l'oreille droite est une vibration juste.

Or, cette vibration devra être répétée sous forme de syllabes, qui formeront à leur tour un mot qui, lui, sera plein de sens.

Il faut donc se rappeler deux choses :

- Il est impératif que l'oreille droite soit la première à percevoir le son, parce que c'est son rôle d'acheminer ce dernier à l'hémisphère gauche du cerveau – là où se situe le centre du langage.
- C'est l'oreille gauche qui vient confirmer que le son est juste.

Le rôle de l'oreille interne est d'analyser les vibrations sonores pour ensuite les envoyer au cerveau. Celui-ci se charge alors de fournir l'influx nerveux nécessaire aux muscles de la bouche pour qu'ils puissent répéter les sons avec justesse.

LA DYSLEXIE

La dyslexie est un grand mot qui veut dire « difficulté à lire ».

Reportons-nous d'abord à la courbe dite normale, cette courbe où les réponses sont répertoriées au-dessus de la barre des 20 décibels, où les sons sont d'abord captés par l'oreille droite avant d'être entendus par l'oreille gauche, au temps correspondant à 5 ou 10 décibels. Chez le dyslexique, c'est l'oreille gauche qui est l'oreille directrice. C'est elle qui capte le son en premier sur plusieurs fréquences. L'enfant s'appuie alors sur un repère déformé, impropre. Il lira ou écrira donc en faisant des inversions. Par exemple, il écrira un « 3 »plutôt qu'un « E » ou encore un « n » plutôt qu'un « u ».

LES MANIFESTATIONS LES PLUS ÉLÉMENTAIRES

Les manifestations élémentaires de la dyslexie en milieu scolaire sont :

- les difficultés de lecture ;
- la substitution d'une lettre par une lettre voisine : p, b, d, n, u, w (un « b » remplace un « d », un « p » remplace un « q » et inversement) ;
- les confusions phonétiques (ceci se manifeste par une mauvaise différenciation des sons voisins tels : p, t, f ou ch) ;
- l'inversion des lettres dans une syllabe : « er » pour « re », « pra » pour « par » ;
- l'inversion des syllabes dans un mot ;
- les difficultés à distinguer des sons complexes tels que « ail », « ille », « oin », « ion », « eil », « euil » ;

■ GRILLE D'ÉCOUTE AÉRIENNE : PROFIL DE DYSLEXIE

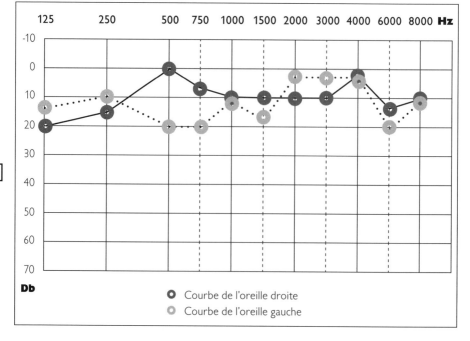

○ Courbe de l'oreille droite
○ Courbe de l'oreille gauche

- l'omission de lettres ou de syllabes : « puie » pour « pluie », « chagnon » pour « champignon » ;
- la substitution de mots entiers : « chien » pour « chat », « lapin » pour « mouton », etc. ;
- l'omission de mots entiers.

Quiconque regarde ce qu'écrit un enfant dyslexique peut constater que l'enfant inverse les lettres. Les professeurs ne se rendent toutefois pas compte qu'un *pattern* ou une histoire se dégage de ces fautes. Ils en concluent prématurément que l'enfant a de la difficulté à lire ou à écrire parce que sa vision est déficiente, qu'une anomalie de la vue l'empêche de reproduire correctement la lettre qui représente le son. Pire encore, ils peuvent en conclure que son cerveau ne peut pas utiliser l'information normalement, qu'il apprend de manière différente et qu'il devra s'adapter à son handicap.

Ce même enfant tente d'apprendre des mots de vocabulaire en observant comment on les écrit. Résultat : le lendemain, au cours de la dictée, il a changé l'ordre des lettres. Il faut donc approfondir davantage les évaluations auditives afin d'intervenir adéquatement. L'observation de ces difficultés chez de nombreux élèves nous amène à réaliser qu'avant d'écrire, en plus d'entendre, il faut réussir à analyser et à localiser cette sonorité, ce son, la transposer dans un temps et dans un espace. Or, à l'écriture, comme à la lecture, il faut déterminer la place de chacune des sonorités du mot, puis les représenter par une lettre. L'enfant relie tous les sons, et de cette suite de sons se dégage une fluidité, un rythme harmonieux, un élan. Ce mouvement, fidèle à la sonorité juste – donc sans inversion –, donne au mot le sens qu'on lui a attribué au départ.

On affirme souvent que les causes réelles de la dyslexie se trouvent dans les perceptions visuelles ou le cerveau. C'est une possibilité et il faudra peut-être consulter un optométriste. Toutefois, mon expérience me confirme qu'il est plus important d'évaluer d'abord l'écoute centrale. Car, si elle capte la majeure partie des sons avant l'oreille droite, l'oreille gauche devient l'oreille directrice. Malheureusement, son circuit neurologique n'est pas branché directement à l'hémisphère gauche du cerveau,

■ CE QUE LES FRÉQUENCES RÉVÈLENT

FRÉQUENCES	PERCEPTIONS
De 125 à 1000 Hz	Sons des consonnes
De 1000 4000 Hz	Sons des voyellez
4000, 6000, 8000 Hz	Intuition, idée, émotivité

là où l'information sonore doit être acheminée pour être analysée. Les sons doivent donc passer de l'oreille gauche à la droite, puis revenir à la gauche — c'est-à-dire du cerveau droit au cerveau gauche avant de revenir au cerveau droit. Ceci crée une translation dans l'espace de la graphie, ce qui produit l'inversion.

LA COURBE DU PROFIL DYSLEXIQUE

En regardant la courbe d'écoute d'un dyslexique, on constate que l'oreille gauche capte les sons avant l'oreille droite, et ce, pour plusieurs fréquences. Sur les 11 fréquences évaluées, ce sont surtout les plus basses, — celles qui permettent à la chaîne sonore de s'organiser —, qui sont perçues par l'oreille gauche en premier.

Savoir lire la courbe permet une interprétation de la situation. Voici quelques repères.

La chaîne sonore qui nous intéresse se situe entre 125 Hz et 4000 Hz. On y capte les sons qui forment les mots. Les consonnes s'entendent surtout dans les basses fréquences. Les voyelles s'entendent dans les hautes. Si l'oreille gauche perçoit ces fréquences avant l'oreille droite, une translation dans la représentation graphique du son — la lettre, le mot — se crée. Le son est traduit dans une graphie qui ne lui correspond pas, car tout est bouleversé. Les repères d'analyse de ces sons le sont aussi. C'est ainsi que s'installent les inversions typiques des dyslexiques. Voilà comment un « b » devient un « d » et un « f » devient un

« v », car ces vibrations sont très similaires et impossibles à différencier si l'analyse des sons ne respecte pas les structures acoustiques idéales.

Ajoutez à ce profil une sélectivité inversée et nous sommes alors en mesure de préciser que nous avons à composer avec un profil de dyslexie typique. Qu'est-ce qu'une sélectivité inversée ? C'est une perception incorrecte de la fréquence du son entendu. Pour déterminer s'il y a sélectivité inversée, on fait entendre deux sons, au même volume, un plus aigu que l'autre. Le sujet évalué nous assure qu'il perçoit le son le plus grave comme étant le plus aigu et inversement. Nous saurons alors intervenir efficacement par une stimulation précise et soutenue pour ces fréquences. La technique de la résonance de la voix développée par François Louche s'avère la plus efficace pour que l'enfant puisse vraiment saisir comment utiliser le son capté. Il doit d'abord ressentir cette vibration dans son corps, puis s'y référer afin d'installer le repère adéquat et fiable dont il a besoin pour pouvoir entendre le son avec justesse et finalement le reproduire exactement, à l'oral comme à l'écrit.

Je vous ai déjà donné le tableau des symptômes – des manifestations – de la

dyslexie qu'on peut évaluer visuellement en milieu scolaire. Toutefois, on peut déterminer plus tôt, grâce à certains indices, que les enfants ont des prédispositions ou des tares, ou qu'ils seront atteints de dyslexie:

- Ces enfants ont de la difficulté à se repérer dans l'espace. Ce sont souvent des enfants qui se cognent partout et à qui l'on dit: «Mais regarde où tu vas!»
- Ce sont des enfants qui perdent souvent leurs jouets, leurs mitaines, leur suce.
- Ce sont des enfants qui éprouvent toujours de la difficulté à placer un morceau de casse-tête dans le bon sens.

Bref, on voit que ces enfants ont beaucoup d'efforts à faire pour arriver à s'organiser dans l'espace, même si c'est dans leur chambre. Ces symptômes sont faciles à déceler, même lorsque les enfants sont en très bas âge.

DONNER LE TEMPS AUX APPRENTISSAGES DE SE FAIRE

S'il faut apprendre aux enfants à se donner des repères pour apprendre à faire les choses, il faut surtout leur en donner le temps. Ils ne réussiront pas du premier coup. C'est normal! Les enfants tombent souvent lorsqu'ils apprennent à marcher. Les apprentissages se font à coup d'essais et d'erreurs.

Par contre, si l'on observe que les repères tardent à s'installer et qu'à chaque fois la difficulté est la même – qu'ils n'arrivent pas à se repérer dans l'espace et qu'il leur est difficile de placer le chapeau sur la tête du bonhomme ou de mettre les pattes du chat au bon endroit –, nous sommes en face d'une évidence: les enfants doivent composer avec une inversion.

Et ce n'est pas tout! Nous ne voyons pas ce qui se passe dans leurs oreilles. Nous sommes inquiets. Nous nous disons: «Il devrait faire ceci.» «Comment se fait-il qu'il n'arrive pas à faire cela?» Alors, nous tentons d'utiliser nos observations pour parvenir à une explication et nous excusons souvent l'enfant: «Il n'aime pas faire des casse-tête.» «Ça n'est pas dans son tempérament.» «Il est plutôt comme ceci que comme cela.»

En fait, on naît tous avec des tares. Mais on naît aussi avec des prédispositions, des facilités, des talents, des préférences. Certaines personnes préfèrent la musique à la physique. De même, certains enfants aiment les images et n'ont pas du tout le goût d'aller jouer au ballon. Toutefois, peu importe les préférences de celui-ci, et malgré ce qu'on favorise, il est nécessaire de développer chez l'enfant le plus d'habiletés possible.

Jafar

À 17 ans, Jafar est arrivé dans mon bureau très frustré d'avoir passé ses journées dans un groupe complètement à l'écart des autres, chacun aux prises avec des situations différentes, tous considérés comme des illettrés, des élèves non fonctionnels. Son problème empirait, car il vivait une frustration constante à l'intérieur d'un groupe où il n'y avait aucune matière enseignée avec profondeur, lui qui cherchait des choses qui l'intéressaient. Il était très habile de ses mains, mais son incapacité à lire l'empêchait de remplir les formulaires en vue d'obtenir un travail. Son niveau de lecture était tellement faible qu'il n'arrivait pas à comprendre les questions. Tout ce qu'il arrivait à donner comme information était son nom, son adresse et son numéro de téléphone. Dès qu'on lui demandait des détails, la confusion s'installait, il se décourageait et il prenait la poudre d'escampette.

Évidemment, il était à la recherche de quelque chose qui allait lui faire oublier un peu sa détresse, son incapacité à répondre aux attentes, son insatisfaction profonde et, malheureusement, c'est souvent vers la drogue que se tournent ces élèves-là. Étant très vigilants, ses parents l'ont fait évaluer. Sa courbe démontrait un profil mixte de dyslexie et de déficit de l'attention.

On a alors commencé le traitement. Après beaucoup de travail, il a réussi à lire des textes simples. Son niveau de compréhension lui permettait maintenant de répondre à des questions et de donner une information claire et précise.

Se croyant invincible, ses écarts aidant, Jafar était connu des policiers. On a donc suggéré, dans la foulée de cette rééducation auditive, de l'inscrire dans un centre de désintoxication. Là, il a très bien fait les choses. Il voulait que la cure soit un succès. Il avait fait des prises de conscience. Le centre lui a permis, dans un contexte très structuré, entouré de gens intéressants, de mettre en pratique les techniques d'écoute qu'on lui avait apprises. Une expérience très marquante et très profitable pour lui.

Après le traitement, il est revenu pour compléter la rééducation. Il était tout heureux de me dire qu'à l'heure des repas, au centre, ils faisaient une lecture et que souvent il lisait à haute voix devant tout le monde pour continuer à se pratiquer. Il avait confiance qu'il ferait dans la vie quelque chose qui l'intéressait. Et il a persévéré. Ce fut difficile par moments, mais aujourd'hui il a un travail manuel. Il est plus autonome et les choses vont bien. Évidemment, étant donné ses limites, il n'a pas les diplômes nécessaires pour postuler à un poste de cadre, mais il fait de son mieux avec ce qu'il a et il en est heureux. Jafar, ce beau et grand bonhomme de 17 ans a retrouvé sa joie de vivre. Il s'en est très bien sorti.

FAVORISER L'ESTIME DE SOI

Si nous reconnaissons volontiers l'intérêt qu'il y a à réussir grâce à son talent, rappelons qu'il y a des habiletés, des conditions préalables qui doivent être déjà installées pour permettre à l'enfant d'activer son cerveau quelle que soit l'activité à faire. Garnir son coffre d'outils reste donc notre objectif.

Dès que quelque chose n'est pas facile à faire, nous ne croyons plus à notre capacité. Devant l'incertitude, nous tombons facilement dans le découragement, dans l'incapacité de faire ce que nous avons à faire, parce que nous ne croyons plus à notre potentiel. On parle d'estime de soi, particulièrement importante à développer au moment de l'enfance. La recette est simple : nous acquérons l'estime de soi en apprenant que nous sommes capables de réussir malgré la difficulté et non parce que quelqu'un de bien intentionné dans notre entourage le fait pour nous, éliminant ainsi complètement la difficulté.

Il va de soi qu'il faut jauger les difficultés à proposer à un enfant, ne pas aller au-delà de sa capacité. Mais, s'il a quatre ans et qu'il est devant un casse-tête de 25 morceaux, il sera capable d'utiliser l'image, les repères qu'il a déjà emmagasinés et reconnaissance de la forme pour placer les morceaux. Il a acquis des habiletés. Il pourra ensuite les utiliser partout. C'est ce qu'on appelle le transfert de l'information dans le langage pédagogique.

LA LATÉRALITÉ

Le dyslexique a énormément de difficulté à être, comme on dit en termes scolaires, « latéralisé ». Il a de la difficulté à faire la différence entre sa droite et sa gauche. Il a de la difficulté à tenir son crayon de façon à voir ce qu'il écrit. Il le tient mal. Il ne sait pas comment le faire bouger dans l'espace. Il ne s'approprie pas la bonne posture. Est-ce que c'est la position qui doit donner la structure de pensée, l'entendement, ou est-ce que c'est la structure qui doit inspirer la position ? C'est un indice à considérer, surtout chez les jeunes enfants.

Encore là, s'ils ont de la difficulté à se situer dans l'espace, à se donner un repère, c'est-à-dire à distinguer la droite de la gauche, le haut du bas, sur quoi s'appuiera l'organisation spatiale de ce qu'ils veulent produire ? Comment réussiront-ils à effectuer le mouvement nécessaire à partir du son pour en arriver à l'écriture ou au moins à l'utilisation du crayon d'une façon adéquate ?

Une autre façon de vérifier ceci, c'est de demander aux enfants de tracer un cercle, par exemple la tête d'un bonhomme. Nous verrons bien si le mouvement se fait de façon fluide ou non. Nous aurons alors un indice nous permettant d'affirmer que le repère est manquant. Il y a donc des indices, même avant l'âge scolaire, qui nous permettent de voir si les enfants éprouvent une difficulté d'écoute, manquent de repères dans l'espace. Nous saurons alors si une dyslexie est susceptible de se manifester.

Rassurez-vous, il n'y a pas lieu de paniquer. Il sera par contre nécessaire de faire évaluer l'écoute centrale de l'enfant afin d'intervenir tout de suite. Placer la vibration dans son corps, lui donner le repère qui le rendra apte à s'orienter dans l'espace, lui donnera accès à ses cinq sens.

L'oreille est la seule chose à notre disposition dans notre corps pour repérer d'où vient un son. Les yeux nous permettent de voir ce qu'il y a devant nous, mais l'oreille nous indique d'où proviennent les sons qui nous entourent. C'est pourquoi les enfants qui se baladent avec des écouteurs sur les oreilles s'exposent à des risques. Parfois, ils se font renverser par un véhicule parce qu'ils ne l'ont pas entendu. Ne pas permettre à l'oreille d'exercer son rôle nous prive d'une importante source d'information et les conséquences sont parfois catastrophiques. Le dyslexique vit la même situation.

Nous ne sommes pas obligés d'attendre une catastrophe pour intervenir. Il y a une chose à faire: permettre à l'enfant de récupérer son écoute centrale. Il sera alors habile dans le décodage et la compréhension de la lecture, tout autant que dans l'écriture et les mathématiques.

Pinocchio

Je vous présente mon élève dyslexique Pinocchio. Comme la marionnette, il ne pouvait pas fonctionner seul. Il lui fallait des experts pour tirer sur ses ficelles. Rien n'était acquis pour lui, malgré sa vive intelligence. Heureusement, comme la marionnette, il est devenu autonome. Pinocchio fonctionne maintenant grâce à ses propres moyens. Il est très performant. Voici son histoire.

Pinocchio a souffert d'otites à répétition sans que les antibiotiques ne parviennent à le guérir. Comme ils se préoccupaient de sa difficulté à tourner la tête, ses parents ont consulté un chiropraticien, qui après quelques manipulations a rétabli sa posture, éliminant ainsi la stagnation des liquides qui favorisaient les infections. Les otites ont disparu, mais les effets néfastes d'un tympan gonflé et irrité sont restés. L'oreille interne ayant manqué de stimuli en bas âge, l'analyse des sons, pourtant bien entendus, ne se faisait pas correctement. Son papa a fait de nombreuses recherches, car son fils avait aussi des problèmes de santé, notamment des irruptions cutanées.

À l'école, Pinocchio avait des troubles d'apprentissage et ses réactions de frustration s'aggravaient. Ses parents ont donc cherché des moyens de l'aider. Intéressés par les renseignements que je fournis dans Internet, ils ont pris rendez-vous avec moi. Les démangeaisons que ce petit bonhomme éprouvait lui demandaient beaucoup d'énergie. À six ans, il était incapable d'écouter, de se concentrer, d'effectuer un travail, de décoder quoi que ce soit et d'établir une corrélation entre un son et une lettre. La médecine douce est venue à bout de ses démangeaisons. On pouvait donc maintenant s'occuper des échecs scolaires. Les parents et l'enseignant, d'un commun accord, ont décidé de ne pas lui faire faire de rattrapage. Il lui manquait trop de notions pour suivre son groupe. Les intervenants de l'école ont plutôt proposé de lui faire reprendre sa première année dans un petit groupe. Les parents ont donc cherché une école pour enfants ayant des difficultés d'apprentissage.

Au cours de nos premières rencontres, il reprenait sa première année à l'intérieur d'un groupe dont les enfants éprouvaient tous de grandes difficultés d'apprentissage. Heureusement, un horaire flexible a facilité les rencontres, car elles devaient être régulières et fréquentes. L'évaluation de son écoute centrale nous avait révélé un profil d'inversion très important, nettement un profil de dyslexie, car l'oreille directrice était la gauche pour plusieurs fréquences. En plus, la sélectivité démontrait aussi des inversions, du fait qu'il prenait les sons aigus pour des sons graves et vice versa.

Intelligent, il savait agir d'une façon adéquate dans son environnement familier, mais il devenait très fébrile dès qu'il avait à gérer une situation problématique. Il rejetait sa responsabilité sur les gens autour de lui plutôt que de participer à ce qui se passait dans son environnement pour savoir y réagir. Forte de l'information recueillie à l'évaluation, j'étais convaincue que toutes ces inversions rendaient le message sonore faux, inutilisable, d'où sa grande difficulté à l'école. Son comportement difficile semblait être une réaction de survie normale devant les frustrations qu'il accumulait à chacune de ses tentatives de communication.

Travailler avec le son devenait pour lui le seul moyen de retrouver une écoute de qualité. Il savait d'instinct qu'il ne pouvait pas se fier à ce qu'il entendait. Toutes ces inversions faussaient le message, ce qui lui faisait vivre beaucoup de frustrations, chacun pointant ses erreurs.

Inquiet à l'idée qu'on ne s'intéresserait jamais à sa réponse – car elle serait certainement mauvaise –, il devenait très agressif. C'était toujours incorrect, à recommencer, pas comme les autres. Cette situation se perpétuait à l'école du matin au soir et à la maison du soir au matin, ou presque. Il a trouvé une façon de s'en sortir. Pour se protéger contre cette souffrance, il avait décidé que c'était lui qui savait les choses, qu'il ne les partagerait plus avec personne. Il s'isolait de plus en plus, n'étant pas capable d'entrer en communication avec les gens, et, quand les choses ne faisaient pas son affaire, il se cachait littéralement. Il s'en allait dans un lieu où il espérait devenir invisible. Il devenait agressif quand la situation était trop menaçante. Pour ajouter à son vécu difficile, les intervenants, privés de cette compréhension, ne pouvaient pas l'aider de façon adéquate. Se dessinait alors une double difficulté. D'abord, celle de son trouble d'apprentissage alors amplifié ; ensuite, sa frustration devant les échecs constants. Cela provoquait un comportement qui était inacceptable dans un milieu où plusieurs personnes devaient vivre ensemble.

Lentement, Pinocchio a réussi à réentendre les sons avec justesse. Il est devenu habile à les placer dans son corps pour ensuite pouvoir les récupérer, les reproduire, et les localiser. Une fois les repères récupérés, tout doucement, il s'est mis à apprendre. Le désir de s'investir, selon les normes, lui redonnait enfin la possibilité de développer ses habiletés à décoder. Au son, il pouvait maintenant associer la graphie et inversement. Réussir à décoder les mots simples lui a donné le goût de s'engager dans une lecture qui, cette fois-ci, correspondait à ce qui était vraiment

imprimé. Petit à petit, il devenait de plus en plus intéressé à écouter, à s'adonner à la lecture et finalement à reproduire les sons au moyen des lettres. Il a enfin pu exploiter son potentiel et apprendre toutes les notions proposées par le programme d'éducation.

À la fin de cette deuxième année, on n'avait pas encore effectué tout le rattrapage scolaire nécessaire, mais la situation s'améliorait. Il avait aussi un bien meilleur comportement. À plusieurs reprises, cependant, il nous a semblé qu'il reculait, qu'il se refermait. Il nous a donc fallu attendre qu'il décide de changer d'attitude. De fil en aiguille, on a donné à Pinocchio la capacité de se débrouiller en comptant sur ses moyens. Finalement, il a pu couper ses ficelles. À la fin de l'année scolaire, il avait rattrapé son retard et on a pu l'inscrire à une école dite normale, dans une classe à effectif réduit. Ces classes sont pensées et structurées pour des enfants ayant des difficultés d'apprentissage. On y enseigne les notions selon une grille horaire différente accordant plus de temps à l'apprentissage. Autrement dit, les enfants dans ce petit groupe avaient plus de temps pour apprendre les notions qu'ils n'avaient pas maîtrisées en début d'apprentissage scolaire.

À la fin de la deuxième année du primaire, il a effectué suffisamment de rattrapage pour pouvoir passer en troisième année, mais toujours dans une classe peu nombreuse. On suppose qu'ayant moins de distractions Pinocchio saura mieux contrôler son comportement.

Et c'est ce qui se produit. Aujourd'hui, son cahier de route de la journée comporte plus de vert que de rouge. Plus il arrive à contrôler son comportement, plus il est récompensé et plus il s'investit, de sorte qu'après trois ans on constate que cet enfant est prêt à intégrer une classe normale. On est toujours un peu inquiet à l'idée de le réintégrer dans un groupe où les stimuli pourraient l'amener à décrocher de nouveau. Le mécanisme de défense étant automatique — inconscient et toujours là —, son comportement difficile pourrait refaire surface.

Récupérer sa capacité à écouter n'est plus à faire. Reste à faire en sorte qu'elle devienne un automatisme rassurant. Maintenant qu'il réussit à bien faire les choses et avec grand intérêt, il lui faut continuer à être capable d'écouter, surtout lorsqu'il se sent en situation d'échec ou lorsqu'on lui porte peu d'attention. C'est dans ces moments-là qu'il tente de fuir la réalité, qu'il n'est plus attentif, qu'il cesse d'écouter et qu'il se réfugie dans l'imaginaire. Il s'y sent si bien. Tout est facile. Il organise les choses comme il veut, il les structure en fonction de son intérêt, de sa compréhension, de ses habiletés. Tout fonctionne selon ses capacités à lui et de la façon dont il le veut, et il peut gérer intellectuellement l'image qu'il se crée.

Lorsque nous, de l'extérieur, tentons de le tirer de cette bulle de perfection où il est confortable et serein, il se sent contrarié et mal compris. Nous devenons alors pour lui une source de dérangement, une armée de personnes qui ne croient pas en sa capacité. On ne le laisse pas faire à sa mode. Il s'agit pour nous de rester à l'écoute de ce qui se véhicule à ce moment-là pour ne pas représenter un risque pour lui. Par exemple, Pinocchio a de la difficulté à accepter l'attente. Il peut alors choisir de s'en aller dans son imaginaire et, de là, se créer une image qui l'intéresse et l'amuse. Maintenant, ses parents en sont conscients. S'ils restent vigilants, s'ils redonnent à leur Pinocchio l'espace, les repères et le temps nécessaires pour qu'il se réinvestisse dans l'écoute – et aussi qu'il réussisse ses études et qu'il respecte les consignes –, le tour sera joué !

Cet enfant répond maintenant très bien aux normes établies par le ministère de l'Éducation. Il vit aujourd'hui une vie d'enfant normal. Le jeune garçon est en développement. Plus il se familiarise avec les consignes et avec les structures de la lecture et de l'écriture, plus il devient habile à se donner l'espace, le temps et l'énergie pour structurer sa pensée. Ses résultats, maintenant intéressants, en témoignent tous les jours.

Les enfants brillants aux prises avec des difficultés d'apprentissage ont développé leur résilience et ont trouvé des méthodes pour vivre une vie satisfaisante, gratifiante. Qu'on pense aux grands de ce monde qui ont découvert des choses extraordinaires malgré leur dyslexie. Ce sont des gens qui ont réussi à faire de très grandes choses parce que, grâce à leur imaginaire, ils ont été capables de créer une image précise qu'ils ont réussi à rendre concrète, en élaborant et en structurant les étapes nécessaires à l'aboutissement de leur idée, de leur rêve. Pinocchio est de la trempe de ces grands créateurs, de ces grands artistes. Soyons vigilants ! Aidons-le à prendre conscience des avantages à concentrer toute son énergie, ses perceptions et sa grande capacité intellectuelle sur l'écoute. Le soutenir dans cette démarche lui apportera une grande satisfaction dans ses réalisations.

LE DÉFICIT D'ATTENTION

J'aborde maintenant la courbe de l'écoute centrale que nous donne le profil d'un déficit d'attention.

LA COURBE DU PROFIL DU DÉFICIT D'ATTENTION

Cette courbe est très particulière. On se rappelle toujours les caractéristiques d'une courbe normale. Ici, on est en présence de ce qui est très clairement un retard dans l'analyse, pour la simple raison qu'à plusieurs des 11 fréquences éva-

luées les deux oreilles captent le son au même décibel, c'est-à-dire au même volume. Conséquemment, l'oreille droite n'est plus l'oreille directrice. On constate qu'il y a une superposition de l'information. Il est alors très difficile pour l'oreille interne d'analyser les sons. Il s'ensuit que rien ne se passe dans l'ordre, tout comme deux enfants qui tentent de passer dans une porte en même temps. Il y a collision. C'est bien connu, sortir en file indienne sera toujours la meilleure façon d'évacuer une classe. Le même phénomène se produit relativement aux fréquences. Lorsque les deux oreilles captent le son au même moment, une confusion s'installe du fait que l'oreille droite – l'oreille directrice – n'a pas reçu clairement l'information et que cette dernière n'a pas été confirmée par l'oreille gauche. Ceci crée un ralentissement de l'analyse du son. S'ensuit un déficit de l'attention, du fait que l'oreille interne n'a pas la capacité d'effectuer son analyse dans le temps normal.

QUE SE PASSE-T-IL ? QUI SONT CES ENFANTS ?

L'enfant doit attendre trop longtemps avant qu'une confirmation le rassure sur la justesse de l'information reçue. Il fait donc appel à ses yeux. Cette tendance à chercher visuellement une autre façon de confirmer l'information favorise l'installation d'un cercle vicieux. Moins on utilise l'écoute, moins elle fonctionne adéquatement.

Ceci demande à l'enfant beaucoup plus d'énergie que si le processus se faisait normalement. La demande énergétique étant de plus en plus grande, le temps étant de plus en plus long, la personne aux prises avec cette difficulté devient fatiguée et se désintéresse de l'écoute. Voilà ! Ces enfants possèdent une intelligence vive. Ils favorisent leur perception visuelle pour fournir à l'hémisphère droit du cerveau une information partielle. À partir de cette information partielle, ils vont se créer une image et, à partir de cette image, ils vont « fabri-quer » la réalité. On les accuse souvent d'être lunatiques, de ne pas écouter, de ne jamais faire attention à ce que l'on dit et d'inventer, ou de deviner, la réponse. Eh oui ! C'est tout à fait vrai. Ils ne s'en rendent pas compte, mais ils compensent ainsi. Le temps et l'énergie nécessaires pour garder leur attention sur le son et pour en faire l'analyse les amènent à trouver que l'effort est trop grand. Ils préfèrent alors – parce que c'est plus rapide – utiliser l'image, qu'ils peuvent décoder à leur goût, selon leur inventivité, à la mesure de leur imaginaire.

Encore une fois, ils ne le font pas exprès. Ils sont convaincus qu'ils ont très bien compris, qu'ils ont fait ce qu'il fallait et que c'est nous qui n'avons pas correctement interprété leur intention, qui n'avons pas bien dit les choses, qui

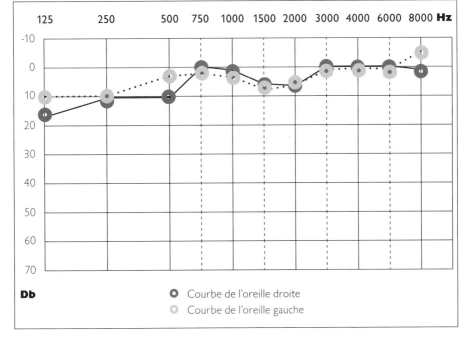

■ GRILLE D'ÉCOUTE AÉRIENNE : PROFIL DU DÉFICIT D'ATTENTION

Db

○ Courbe de l'oreille droite
○ Courbe de l'oreille gauche

n'avons pas été clairs. Eux, ils avaient compris autre chose. De ce qu'ils ont pu percevoir, ils ont fait une image. Et, à partir de cette image, ils ont décodé ce qu'ils ont bien pu décoder. Ils s'offusquent, résistent. C'est la guerre ! Pour se protéger de nos embuscades, ils s'isolent, ce qui restreint tout autant leur écoute que nos façons de les atteindre.

Ce sont des enfants qui jouent seuls, qui sont autonomes si on ne leur donne pas de consignes. Ils sont capables de créer un jeu, ils ont du plaisir avec pas grand-chose finalement, des crayons de couleur, des blocs, des images, bref, tout ce qui leur tombe sous la main. Ils peuvent inventer. L'image se fait dans leur intellect, dans leur imaginaire. Et elle se fait bien. Ces enfants n'éprouvent pas d'aussi sérieuses difficultés que les dyslexiques.

Malheureusement, comme on ne voit pas ce qui cause le problème, et étant donné qu'ils sont efficaces sur le plan de leur organisation personnelle, qu'ils restent bien souvent assez concentrés au cours d'une activité qu'ils ont choisie, il nous semble qu'ils ont intégré les notions de base et qu'ils utilisent les bonnes démarches. Alors, on les accuse : « C'est parce qu'il n'est pas motivé. » « C'est parce qu'il est dans la lune. » « Il ne s'intéresse pas à ce qu'on fait. » Oui, c'est vrai. Il ne s'intéresse pas à ce qu'on fait, il se retire de la réalité. Mais ce comportement n'a aucune intention négative. Il n'est pas non plus incapable de répondre à une requête. C'est parce qu'il met trop de temps à saisir le message, à savoir quoi en faire. Il invente donc une réponse, parce qu'il a l'intelligence qu'il faut pour inventer ou deviner.

Devant tant de nonchalance, on répète souvent à l'enfant : « Lis bien la question. Fais attention. Concentre-toi. » Il nous semble capable de répondre à la question. De fait, ces enfants sont très motivés, ils veulent bien faire, ils sont intelligents, ils veulent connaître la réponse et avoir de bonnes notes. Toutefois, dès qu'ils ont lu un ou deux mots, ils inventent la consigne. Nous devons alors leur faire comprendre qu'ils n'ont pas répondu en fonction de la question. Contrariés, ils vont dire : « C'est parce que tu ne me l'as pas bien expliqué, ce n'est pas ce que tu as dit, tu as dit ceci ou tu as dit cela. » Il est très difficile pour un intervenant d'évaluer jusqu'à quel point l'enfant est en réaction ou en difficulté parce qu'il est souvent difficile de départager l'un et l'autre.

On voit très clairement sur la courbe qu'il y a confusion. Cette dernière s'installe et l'intérêt se perd. Plus l'enfant évite l'écoute pour se protéger, moins il s'y réfère. Encore une fois, nous ne vivons pas sa situation, nous ne voyons pas très clairement quelle arme il utilise.

Est-ce que c'est un mécanisme de défense? Est-ce que c'est une façon d'éviter le problème? Est-ce qu'il est en difficulté parce que la confusion s'est installée du fait que les sons sont captés au même volume à plusieurs fréquences?

Une dernière difficulté vient s'ajouter. On veut tellement que l'enfant réussisse qu'on insiste pour qu'il se concentre. Il n'a toutefois aucune idée de ce qu'il doit faire. Se concentrer, pour un enfant, c'est souvent synonyme de se crisper, de ne pas bouger, de ne pas regarder ailleurs. Il est totalement inutile de dire à un enfant atteint du déficit d'attention de se concentrer. Il ne sait pas ce que ça veut dire. De plus, nous avons pris l'habitude, malheureusement, d'augmenter notre débit pour lui donner plus d'information, pour le stimuler et pour l'aider à répondre.

On parle trop pour sa capacité d'analyse. Et, s'il n'a pas compris, on tente de lui redire la chose autrement. Ce faisant, on augmente incroyablement la difficulté de l'enfant à rester à l'écoute. Pour chaque mot qu'on dit, il faut qu'il prenne le temps d'analyser. Il faut qu'il prenne le temps d'analyser chaque son du mot, ce qui est très ardu. Il pense alors que, s'il ne bouge pas ou qu'il ne dit rien, ou encore qu'il dit: « Je ne sais pas, je ne comprends pas », ça va lui éviter de vivre une situation dramatique. Il vit vraiment une confusion.

Et, nous, nous voulons aider l'enfant. Alors, quand nous le voyons confus ou inquiet, ou incertain quant à ce qu'il faut faire, nous lui donnons plein d'indices! Nous sommes donc la cause d'une surcharge d'information. Plus nous lui donnons d'indices, plus nous reprenons avec d'autres mots la même explication, plus nous le jetons et le gardons dans cette confusion qu'il est incapable de gérer. Il a donc de nouveau recours à la fermeture. Il cherche à nous éviter.

Je conseille souvent aux parents ou aux intervenants de diminuer le nombre de mots qu'ils utilisent et de laisser le temps à l'enfant de les analyser. On prend un ou deux mots clés et on les répète calmement en marquant une pause afin que l'enfant ait le temps d'en comprendre le sens. Ainsi, il saisira probablement mieux le message et s'appliquera à intégrer l'habileté qu'on tente de lui faire développer.

Timide

Quand on me l'a confié, Timide était en deuxième année. Ses parents, instruits et à leur aise, étaient très perturbés, non pas à cause de ses échecs, mais parce qu'il était malheureux. Tous les matins, c'était la crise, il ne voulait pas aller à l'école. Ses parents croyaient, jusqu'à ce qu'ils rencontrent sa professeure, qu'il était plus sensible, qu'il n'aimait pas l'école, qu'il y avait trop de monde, que ça le dérangeait et qu'il préférait être chez lui, dans ses affaires. Ses parents ont rencontré la professeure à la remise du premier bulletin. Elle leur annonce que leur enfant a tellement de difficultés d'apprentissage qu'il lui est très difficile de comprendre la matière. Elle leur suggère de se préparer à l'idée que leur enfant ne réussira jamais son primaire.

À la suite de cette rencontre, les parents sont très préoccupés par la situation. Leur étonnement vient du fait qu'à la maison, dans ses activités quotidiennes, ils n'ont rien détecté d'anormal. Pour eux, Timide se comporte normalement et ne présente pas de déficience intellectuelle. Qu'est-ce qui peut donc bien nuire à sa réussite scolaire? Les parents se mettent à faire des recherches et ils aboutissent chez nous.

Au cours de l'évaluation de son écoute centrale, nous avons constaté qu'il avait un profil de déficit de l'attention très important. Nous pouvions donc mieux comprendre son comportement de fermeture à l'apprentissage. Lorsque quelque chose l'intéressait, il avait la capacité de suivre son idée, d'utiliser son

intuition et de faire preuve de créativité. Dans ces situations, il était tout à fait dans l'organisation des choses, dans le temps, dans l'espace, dans les idées, dans les détails de son projet. De plus, il aimait beaucoup la musique classique. Il jouissait donc d'une perception assez juste de la mélodie. La courbe démontrait toutefois une difficulté à entendre les consonnes, mais pas les voyelles. Nous avons donc ciblé notre stimulation sur les consonnes et les mots ont alors pris un sens pour lui.

L'autre jour, son papa, tout heureux, me dit: « Lise, il faut que tu saches que Timide a été accepté à l'université. Il a complété son cégep et, grâce à toi, on a réussi à lui faire surmonter sa difficulté. Il répond maintenant très aisément aux requêtes ou problèmes qu'il n'était pas capable d'analyser alors qu'il était à l'école. » Cet enfant généreux, au sourire merveilleux, aux idées extraordinaires, poursuit aujourd'hui sa vie sans avoir à traîner cette difficulté. Quel fardeau à porter, quand on croit que les autres nous prennent pour un imbécile, alors que ce n'est pas le cas. Les fermetures de l'écoute empêchent les enfants d'exploiter leur potentiel intellectuel. Voilà ce qu'il faut comprendre. Le jugement des autres entraîne toujours chez la victime un mécanisme de protection. Il n'aide en rien.

L'HYPERACTIVITÉ

C'est le même scénario pour les enfants aux prises avec l'hyperactivité. C'est la prochaine maladie de l'écoute dont il sera question. L'hyperactivité présente une courbe en zigzag.

LA COURBE DU PROFIL DE L'HYPERACTIVITÉ

Le profil de cette écoute centrale nous montre que les oreilles captent les sons en alternance. On peut donc voir un zigzag se dessiner dans la courbe de l'écoute centrale. L'enfant connaît un trouble de l'équilibre. Il a toujours l'impression qu'il va tomber.

QUE SE PASSE-T-IL ? QUI SONT CES ENFANTS ?

Le déséquilibre de l'enfant est imperceptible à nos yeux. On le voit marcher. Il marche bien. On le voit jouer au ballon. Il est bon. Mais l'enfant le ressent. D'instinct, on rétablit notre équilibre par un mouvement spontané dès qu'on a l'impression de tomber. L'oreille est le centre de l'équilibre. C'est elle qui nous informe du geste à faire. Ces enfants bougent toujours parce qu'ils ont l'impression qu'ils vont tomber.

Ils sont incapables de rester assis sans bouger, sans jouer avec quelque chose, sans changer de point d'appui, sans aiguiser leur crayon, sans se lever, sans se rasseoir. Ça devient dérangeant pour les gens autour. Leur écoute est saccadée, comme un mouvement pour compenser le déséquilibre.

La lecture est une activité presque impossible à pratiquer pour un enfant hyperactif. Il lui est difficile de rester

■ **GRILLE D'ÉCOUTE AÉRIENNE : PROFIL DE L'HYPERACTIVITÉ**

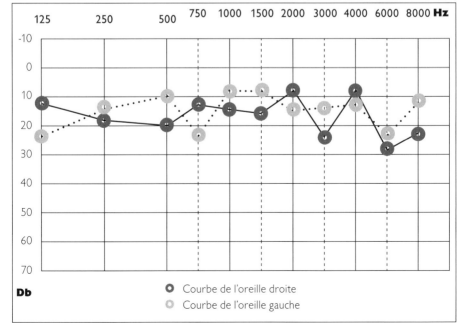

Db

○ Courbe de l'oreille droite
○ Courbe de l'oreille gauche

assis, il manque de fluidité dans son mouvement d'écriture. Il est donc dans une situation très inconfortable et il fait comme tout le monde : il veut éviter la souffrance, il essaie de faire autre chose. Il choisira souvent de se tourner vers des activités physiques qui impliquent la vitesse, car il est bien plus facile de garder son équilibre quand on va vite. Prenons l'exemple du vélo. Si je roule rapidement, mon vélo restera en équilibre, même si je lâche le guidon. Par contre, si j'essaie la même chose à basse vitesse, mon vélo va vaciller et tomber.

Les enfants hyperactifs ont un peu la même sensation. Pour cette raison, ils doivent aller vite. Souvent, ces enfants partent en flèche. Ils n'attendent pas de savoir ce qu'il y a à faire avant de commencer. Ils se mettent à la tâche avec une énergie incroyable, une motivation à réussir en apparence louable. En fait, ils font ce qu'ils pensent devoir faire. Ils ne respectent pas les consignes et seront de nouveau déçus. Ils se retrouvent toujours en situation où on doit les reprendre. De notre côté, nous essayons de les calmer, nous leur disons de s'asseoir et de ne plus bouger, mais le problème, c'est que, quand ils ne bougent pas, ils sont incapables d'écouter.

Après quelque temps, l'agressivité s'installe. L'enfant éprouve de la frustration à force de toujours être arrêté, de toujours être repris, de toujours être accusé. Pour lui, devoir rester assis en classe est une grande contrainte. Il n'en est pas capable, alors l'enseignant le réprimande, l'envoie chez le directeur, lui donne des copies, le prive de récréation, etc. Il devient vraiment très frustré et très contrarié. Conséquemment, la colère s'installe. Il est très agressif parce qu'il se sent continuellement attaqué. Ne dit-on pas que la meilleure défense, c'est l'attaque ? Il attaque donc avant d'être attaqué. Souvent, il fait des gestes qui sont répréhensibles, inappropriés et inacceptables.

Il faut donner à ces enfants des outils et leur permettre de comprendre leur problème afin qu'ils le maîtrisent. C'est souvent très émouvant de les voir se prendre en charge. Ils disent : « Je ne peux pas rester assis, est-ce que je peux aller aux toilettes ? » À quoi nous répondons : « Oui, tu peux, mais reviens tout de suite parce qu'on a des choses à faire. » Ils sont très motivés, à condition qu'on leur donne les moyens de se gérer. Je ne parle pas ici d'acheter la paix en les laissant faire tout ce qu'ils veulent. C'est la pire erreur qu'on puisse commettre : ne pas les renseigner sur leur comportement ni leur indiquer sur quels repères ils peuvent compter pour utiliser leur plein potentiel.

En les laissant faire, on ne leur apprend pas qu'il y a des limites et que, quand on les dépasse, il y a des conséquences : « Si tu sors dehors sans tes souliers ou tes bottes et que c'est l'hiver, eh bien ! tu vas geler. » La meilleure façon d'insécuriser un enfant, de le rendre inquiet, c'est de ne pas lui donner de limites, de repères, parce qu'il ne saura pas comment agir.

J'illustre mon propos par une image. Représentez-vous dans une chaloupe où il n'y a pas de rames. Vous êtes à la dérive, c'est très inquiétant. Vous avez beaucoup d'espace, vous pouvez faire ce que vous voulez, mais vous ne vous rendrez jamais où vous voulez aller parce que vous n'avez pas les outils pour le faire. En tant qu'adultes responsables, nous devons être à l'écoute de l'enfant. Nous pourrons alors mieux comprendre la réalité dans laquelle il vit. Nous serons ainsi en mesure de leur fournir les repères nécessaires pour qu'ils puissent se donner, eux, les outils pour réussir. Évidemment, plus on est jeune, mieux on s'adapte ; plus on est vieux, plus il est difficile de laisser tomber son système de défense.

C'est ça, finalement, le lâcher prise. Ne plus s'enfermer dans son mécanisme de défense, mais plutôt tenter de se donner la possibilité de créer, de trouver des façons d'être satisfaisantes pour soi.

C'est, en même temps, réussir en respectant les consignes. Quand on peut répondre à une attente de façon adéquate, on est fier de soi, on se sent en sécurité et on est apte à découvrir ce que l'on ne connaît pas encore.

Étoile filante

Étoile filante est un enfant qui est arrivé ici en très bas âge. Il avait tout juste quatre ans. Un diagnostic avait établi qu'il était atteint du syndrome d'Asperger et qu'il était irrécupérable. En psychiatrie, ce que l'on appelle le syndrome d'Asperger se trouve à l'échelon des troubles de la communication, juste avant celui de l'autisme. Les enfants qui en sont atteints ont une grande difficulté à soutenir un regard, à communiquer adéquatement avec les personnes importantes de leur entourage et encore plus avec les inconnus. Ils articulent clairement et leur vocabulaire est assez développé, mais il n'est pas utilisé efficacement. Leur inconfort à se manifester est sérieux et il les garde dans une carapace difficile à percer.

À l'évaluation, la courbe nous révélait un énorme décalage entre l'oreille droite et l'oreille gauche. Étoile filante avait énormément de difficulté à rester en communication. Sa rééducation fut intense et soutenue. L'objectif toujours présent durant les rencontres, tout autant qu'à la maison : lui donner accès à sa capacité d'écoute. *Étoile filante et ses parents ont été extraordinaires. Tout au long de la rééducation, il a affronté des inquiétudes et des blocages profonds, mais il s'est remis à vivre et a commencé lentement à établir des liens. Ses communications, d'abord visuelles, sont ensuite devenues verbales.*

Au bout de la deuxième année de rencontres, le neurologue de l'hôpital, qui avait changé trois fois de diagnostic au cours de la période de rééducation, a constaté qu'il n'y avait aucune trace de dysfonctionnement neuropsychologique chez l'enfant. Ce dernier est aujourd'hui dans une classe normale, il a des amis, il répond très bien aux demandes qui lui sont faites et il s'implique dans des activités qui sont intéressantes pour lui. Il garde toutefois une certaine timidité, c'est-à-dire qu'il est un peu malhabile à entrer en communication avec les enfants et les adultes autour de lui.

Une fois que l'étape de l'ouverture est franchie et que la confiance règne entre lui et l'autre, la communication devient plus simple, plus fluide, plus harmonieuse. Son élan vers les autres est spontané. Même s'il est encore peu confortable, il s'ouvre aux autres avec de plus en plus d'aisance. Il a maintenant une vie saine et normale, *avec des activités sociales, en famille et en groupe, et il n'est plus du tout à l'écart, comme avant le traitement. L'étoile ne file plus, elle brille!*

AH! LA FAMEUSE MÉDICATION

Désolée si je vous contrarie, mais je trouve très pénible que l'on croie pouvoir aider l'enfant à sortir de son marasme en lui prescrivant un médicament – le Ritalin ou un de ses dérivés. À mon avis, on fait fausse route pour la simple raison que ce médicament est une drogue. Elle inhibe ou anesthésie la partie affective souffrante chez l'enfant. Ce dernier vit un stress important et constant. Tout son entourage vit un stress. L'enfant ne saisit pas bien le sens de nos paroles. Dans ses oreilles, il y a confusion. Il va donc essayer de compenser avec ses yeux. Le regard qu'il porte sur nous est intense. Il tente de tirer le maximum de notre non-verbal, il s'intéresse à tous les détails pour en faire une histoire, pour essayer de créer du sens de tout cela.

L'enfant utilise ces techniques pour essayer d'éviter la difficulté émotive qu'entraîne la confusion. Or, quand on lui prescrit un médicament tel que le Ritalin, on anesthésie momentanément sa souffrance affective. Et ça fonctionne. L'enfant est plus calme, il répond mieux aux exigences. Cela l'amène à croire que c'est le médicament qui le rend intelligent. Il ne croit plus qu'il est capable de réussir par lui-même. Quel drame!

L'enfant est très mal dans son corps lorsqu'il prend le médicament. Il n'est pas confortable. Il n'a plus beaucoup d'appétit, dort mal, et quand finalement il s'installe dans un sommeil profond, il faut qu'il se réveille pour reprendre son médicament avant d'entreprendre une autre journée à l'école. Son corps est en déséquilibre. Pendant les jours d'école, il est sous l'influence du médicament; la fin de semaine, il est en sevrage pour tenter de contrer l'accoutumance. Les enfants me racontent ce qu'ils vivent. Ils me font confiance et me confient d'importants secrets qu'ils sont incapables de dire à maman, à papa ou à l'école tant ils veulent être reconnus comme étant capables, s'intégrer dans un groupe, faire partie de la vie autour d'eux.

Le premier réflexe des enfants est souvent de s'isoler, parce qu'ils sentent très bien qu'ils ne peuvent pas répondre aux exigences. Reconnaissons-le. C'est le jeu de l'affectif chez ceux qui ont vécu du rejet. Au bout du compte, ils se rejettent eux-mêmes. Quand on remédie à ce problème par un médicament, les enfants donnent au médicament tout le pouvoir. On en connaît les conséquences. Devenus adolescents, ils développent un problème 100 fois plus important que la

non-réussite scolaire: celui de la toxicomanie. Mais ça, c'est mon avis, évidemment.

QUE DIRE DES PARENTS!

Le manque d'information vient compliquer sérieusement la démarche des parents soucieux du bien-être de leur enfant. Ceux-ci veulent aider leur enfant, mais ils ne savent pas comment. Ils fouillent partout – dans Internet, dans les livres – pour trouver une solution. Ils constatent que leur enfant présente le même comportement à l'école et à la maison. Ils sont dépassés et cherchent en vain une solution à long terme. Ils consultent à droite et à gauche, mais le résultat est très décourageant. La médecine traditionnelle donne toutes les garanties quant à la sécurité et à l'efficacité de la médication, alors que, pour les médecines douces, on parle de risques et de conséquences négatives directes ou indirectes.

Au début des vacances scolaires de 2007, j'ai entendu à la radio que le nombre de prescriptions de médicaments agissant sur le système nerveux central avait augmenté de 400%. Est-ce à dire que des parents en santé et fonctionnels donnent naissance à des enfants qui ont une activité cérébrale déficiente? Quand avons-nous établi des critères si loin de la réalité? Depuis quand voulons-nous voir nos enfants adopter des comportements robotiques commodes? Au cours de mes conférences, je répète souvent que les enfants ne sont pas des ordinateurs que l'on doit programmer ni des valises qu'il nous faut remplir. Apprendre, c'est comme manger. Il faut avoir faim! Une faim qui nous porte vers ce qui va nous nourrir, nous rassasier physiologiquement, intellectuellement et affectivement.

TOLÉRANCE ZÉRO EN MATIÈRE DE VIOLENCE

Ma réflexion porte aussi sur nos critères d'évaluation. On prône la tolérance zéro en matière de violence, mais de quelle violence parle-t-on? À mon avis, tout abus est à proscrire. Mais il ne faut pas confondre l'énergie de vie, qu'amènent la testostérone et les autres hormones, et la violence. Oui, l'agressivité existe. Est-elle destructive ou bénéfique? C'est ce qu'il faut évaluer. Se cantonner dans un comportement de victime pour ne pas avoir une mauvaise note de comportement n'est pas bénéfique. À l'inverse, apprendre à gérer les situations problématiques est une solution beaucoup plus efficace que de supprimer la difficulté.

ET À L'ÉCOLE?

Prenons un exemple. Interdire aux enfants d'aller dehors durant la récréation sous prétexte qu'il y a trop de violence dans la cour d'école, c'est leur ôter une occasion d'apprendre à gérer une difficulté dans un temps et un espace précis. Chaque année, au printemps, les enfants arrivent avec des billes, des cartes à échanger ou des choses à collectionner. Chaque printemps, inévitablement, des conflits surgissent. On menace alors les enfants de leur confisquer leurs jouets s'ils se chicanent! Oui, ils vont se chicaner! Et nous, éducateurs, avons une occasion en or de leur apprendre à régler des conflits. Il est vrai que ça demande du temps, de l'énergie, des outils, mais n'est-ce pas là notre mission? Je sors un peu du sujet? J'élargis le propos. Ces solutions poursuivent toutes le même but: faire taire l'effervescence des enfants! Quelle tristesse! Donner à l'enfant des outils devrait être le but premier de toute intervention scolaire. Il faut donner à l'enfant, à sa famille et à son environnement – donc à l'école – des outils pour qu'il soit non pas en réaction mais capable de faire les choses.

Chapitre 4

LA **MÉLODIE** DE L'**ÉCOUTE**

« La grande complexité du cerveau humain ne lui donne pas seulement le pouvoir d'émettre des sons variés ou de les entendre, elle va faire du langage – moyen de communication – un nouveau et efficace moyen de penser. »

LUCIE DE VIENNE

Ce chapitre expliquera de façon très précise comment l'écoute nous permet d'utiliser les fonctions de notre cerveau pour nous permettre d'évoluer dans notre environnement. Mais insistons d'abord sur l'importance de la concordance entre ce que perçoivent les yeux et ce que perçoivent les oreilles.

LES ÉCRANS ET LE VISUEL

Prenons le pouls de la réalité technologique et sociale d'aujourd'hui. Nous sommes devant des écrans pour accomplir presque tout. Plusieurs heures par jour,

on se trouve devant un écran de télévision, d'ordinateur, de téléphone, d'appareil photo numérique, de iPod ou de GameBoy. On est bien davantage stimulé visuellement qu'auditivement. Même lorsqu'on se promène en auto dans l'espoir de contempler la nature, on est bombardé de messages visuels tels que panneaux de signalisation et panneaux publicitaires. La réalité d'aujourd'hui est très différente de la mienne lorsque j'étais enfant.

Jouer dehors nous amenait à découvrir la nature et favorisait le développement de nos habiletés sensorielles ; nous

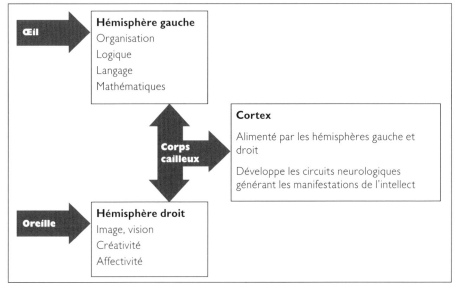

■ CONCORDANCE YEUX-OREILLES

Œil →

Hémisphère gauche
Organisation
Logique
Langage
Mathématiques

Corps cailleux

Cortex
Alimenté par les hémisphères gauche et droit
Développe les circuits neurologiques générant les manifestations de l'intellect

Oreille →

Hémisphère droit
Image, vision
Créativité
Affectivité

utilisions nos cinq sens. Inventer notre jeu exigeait de la créativité et de la débrouillardise. Créer, dans le temps et dans l'espace, à partir des matériaux disponibles, nous amenait à écouter nos idées, à visualiser le résultat anticipé et à développer notre habileté manuelle.

Aujourd'hui, l'image est omniprésente. Dès leur plus jeune âge, les enfants jouent à des jeux vidéo. L'écran leur impose une image qui satisfait instantanément les besoins de réponses du cerveau. Ils n'ont plus besoin d'utiliser des engrammes pour créer des images, puisque celles-ci leur sont présentées à l'écran. L'importance de l'image est indéniable. Les belles illustrations stimulent d'ailleurs les enfants à s'intéresser à la lecture.

Entendons-nous bien : l'image est nécessaire et utile, notamment pour permettre au cerveau de mémoriser. Pour garnir la mémoire, le cerveau fonctionne à l'aide d'images. Il les emmagasine et y a recours pour comprendre les idées. La vibration sonore du mot que l'on dit va quant à elle permettre au cerveau d'aller chercher, dans sa banque d'images, celle qui lui correspond. La compréhension d'un message est donc possible du fait que le cerveau a déjà emmagasiné les images qui correspondent aux mots.

Loin de moi l'intention de minimiser l'importance de la vue. Au contraire. Par contre, il faut prendre garde de ne pas diminuer l'apport auditif au profit de l'apport visuel. Les deux doivent être de même intensité. Les deux sens doivent agir de façon concomitante.

Pourquoi est-ce que j'insiste sur ce point ? Parce que, dans notre système d'éducation, on croit devoir favoriser le sens privilégié par l'étudiant. Ainsi, pour faciliter son apprentissage, on présentera de l'information visuelle à un enfant visuel, auditive à un auditif et de façon différente à un kinesthésique. À mon avis, ce faisant, on limite le potentiel de l'enfant. Un enfant a cinq sens et il grandit en les développant. Cela maximise les circuits neurologiques et les circuits synaptiques à partir de ses engrammes. Le développement de ces circuits contribuera à la réussite de l'enfant.

RECHERCHE DE LA SATISFACTION IMMÉDIATE

Revenons à l'enfant qui s'amuse avec un jeu vidéo. Que fait-il s'il n'a plus envie d'y jouer ? Il va changer de jeu ou regarder la télévision. Le choix d'émissions est tellement vaste qu'il finira par en trouver une qui l'intéresse. Le cerveau, habitué à toujours avoir une image complète, parfaite et intéressante, est comblé. Bref, cet enfant recherche la satisfaction sur-le-champ.

Il n'y a plus de temps d'attente. Conséquemment, il n'y a plus de temps d'écoute. Le jeune ne développe pas sa capacité à attendre. Il devient impatient. Il recherche toujours un plaisir immédiat. Et gare à quiconque tentera de l'en priver ! L'enfant n'apprend pas à créer une image par et pour lui-même. Il lui devient donc difficile de composer avec autre chose qu'une image intéressante, parfaite et instantanée qui satisfait les besoins de son cerveau. Ce dernier, une fois satisfait de l'image, ne souhaite rien d'autre. Il retrace les engrammes pour imager l'information. De nos jours, dès qu'un enfant se retrouve devant un écran, ce dernier lui fournit une image qui le rend heureux. Le cerveau n'a plus à travailler pour composer cette image ; il est dans l'expectative de cette image parfaite, instantanée et satisfaisante. Pire encore, l'enfant devant l'écran ne bouge pas. Il est coupé de son corps, de sa réalité physique, en ne l'utilisant pas.

CRÉER L'IMAGE MENTALEMENT

Imaginez un professeur qui propose un travail aux 25 ou 30 enfants de sa classe à partir d'une image ou d'un texte qui ne les intéresse pas. Les enfants vont tout simplement trouver autre chose à faire. C'est un phénomène que je constate de plus en plus chez les jeunes qui viennent à mon bureau. Je tente de leur faire la lecture d'une histoire à partir de textes qui sont très bien illustrés, mais, dès qu'ils ont vu l'image, ils perdent tout intérêt pour l'histoire. Ils se font une idée de l'histoire à partir de l'image et ils cessent

d'écouter. Ils ne regardent pas l'image assez longtemps pour que je termine la lecture de la page. Ils veulent tout de suite voir l'image suivante. Ils n'écoutent pas du tout l'histoire qui correspond à l'image.

Ça devient une sorte de besoin. Les enfants deviennent accros des jeux vidéo parce que ces derniers les intéressent, mais surtout parce qu'ils fournissent au cerveau une image immédiate qui le satisfait pleinement. Plus besoin de se construire des repères dans le temps et dans l'espace, ni de développer leur écoute pour créer l'image.

SILENCE, ON TOURNE

Une fois que nous sommes conscients de cette réalité, nous pouvons redonner à l'écoute la place qui lui revient dans le contexte des apprentissages scolaires. Il est également important de favoriser des moments de silence, car ils sont très utiles pour créer l'image. La mélodie de l'écoute s'installe dans les moments de silence. Ces derniers sont propices à l'écoute. Cette écoute nous donne accès à tous les matériaux indispensables pour créer l'image, puis la succession d'images et le film.

Les oreilles se protègent du vacarme. Elles se ferment pour se protéger de ces vibrations sonores agressantes. Il faut apprendre à utiliser l'écoute à bon escient.

On sait que les jeunes aiment beaucoup le heavy metal. Ils aiment la musique très bruyante. Et on se demande pourquoi. En fait, la réponse est très simple. C'est parce que, dans ce type de musique, les basses fréquences sont importantes. Ce sont elles qui favorisent le rythme. Et ce dernier est important, car il scande le temps dans l'espace. L'appauvrissement de la capacité d'écoute s'aggrave si l'on remplace le rythme par le bruit plutôt que par les harmoniques et la mélodie. Ces dernières permettent aux oreilles de compléter l'information sonore entre rythme et sens.

Ne dramatisons pas pour autant ! La majorité des enfants naissent équipés d'une écoute centrale fonctionnelle et très bien synchronisée. Pour peu qu'ils soient dans un contexte sécurisant et stimulant, ils perçoivent toute l'information qui leur est nécessaire. Leur adaptabilité leur permet d'apprendre. Un enfant, quand il connaît la santé, cherche la mélodie, l'harmonie, le bien-être. C'est vers ça qu'il tend. C'est ça, l'élan de vie. L'élan

de vie, c'est un élan vers l'harmonie, le synchronisme, l'équilibre et la satisfaction de l'expérience.

ANATOMIE DE L'OREILLE

Le chemin à parcourir est long avant de pouvoir profiter de la mélodie de l'écoute. Mais comment l'oreille fonctionne-t-elle ? D'abord, nous avons un pavillon, qui nous permet de capter, comme un radar, la vibration sonore qui entre dans l'oreille. Il faut évidemment garder le canal exempt d'obstruction, donc d'une trop grande accumulation de cérumen, sinon la vibration sonore ne se rendra pas jusqu'au tympan.

Une fois que cette vibration sonore a touché le tympan, elle est captée par le tissu tympanique, qui l'achemine vers l'oreille interne au moyen de quatre très petits osselets situés dans l'oreille moyenne. La nature est bien faite, car on sait que le son voyage beaucoup plus rapidement dans des matériaux denses. Pour transférer la vibration sonore du tympan à l'oreille interne afin qu'elle y soit analysée, la nature nous a donc pourvus de ces quatre petits osselets.

L'oreille interne se compose de deux parties, dont le rôle est très important dans l'analyse des sons. Il y a les canaux semi-circulaires, où se trouve le centre de l'équilibre, et la cochlée, qui analyse la hauteur (fréquence) du son. Les canaux semi-circulaires, en plus de nous permettre de rester en équilibre, déterminent

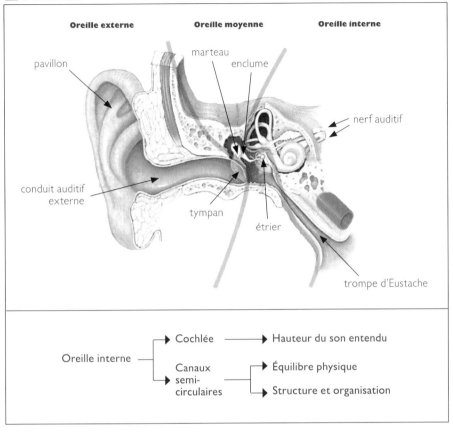

d'où vient le son. La cochlée, pour sa part, détermine la hauteur (fréquence) du son au moyen de petits cils. Elle distingue les aiguës des graves et les analyse.

Une fois que ces deux parties de l'oreille ont disséqué et analysé la vibration sonore, l'information est acheminée au cerveau au moyen du nerf auditif. Il est impératif que la vibration soit perçue et analysée correctement, car c'est à partir de l'information qu'on en extrait qu'on développe les circuits synaptiques du cerveau pour y installer le langage, la connaissance.

ÉCOUTE EXTÉRIEURE ET ÉCOUTE INTÉRIEURE

Lucie de Vienne écrivait : « La pensée humaine est la pensée verbalisée d'un langage intérieur[3]. » Une oreille en santé constitue donc un outil spécialisé et très utile, car elle nous fournit de l'information sur ce qui se passe tout autour de nous. De plus, elle nous permet d'avoir accès à notre écoute intérieure.

L'oreille, outil de l'écoute, nous donne accès à tous les sons et à tout ce qui se passe autour de nous simultanément.

LA MÉLODIE DE L'ÉCOUTE

81

3   De Vienne, Lucie. *La dyslexie*, Leméac, 1972, p. 158.

Mais elle nous permet aussi d'avoir une écoute intérieure. Voici comment ça se déroule :

- Les oreilles sont logées dans la boîte crânienne.
- La conduction osseuse est 10 fois plus rapide que la conduction aérienne.
- L'oreille capte par la résonance ce qu'on se dit à l'intérieur de soi.
- Le message s'achemine par la suite vers le cerveau.

Si j'entends ma pensée à même ma boîte crânienne, lorsque je pense, lorsque je me dis des choses, je reçois une information et je la reçois de l'intérieur. Je n'ai pas besoin de parler à haute voix pour entendre ce que je me dis.

COMPORTEMENT ADÉQUAT OU DE PROTECTION ?

De notre pensée découle un comportement. Je vous donne un exemple. Si j'entends un bruit inquiétant provenant de l'extérieur de ma maison, je réagirai probablement en me levant d'un bond pour tenter de trouver la source de ce bruit. Puis, après avoir évalué la situation, j'adopterai le comportement approprié.

Si je constate qu'il n'y a pas de problème, je continuerai de vaquer à mes occupations ; si, au contraire, je constate qu'il y a un danger, je tenterai de m'en protéger. L'amygdale cérébrale choisira le comportement à adopter à partir de l'information recueillie. Et ce pourra être un comportement d'autoprotection.

Retenons donc que le son est très important, car il nous fournit de l'information sur notre environnement. Grâce à l'écoute, nous pouvons choisir le comportement approprié. S'adapter, c'est réagir adéquatement à une situation. Adopter le bon comportement, ou la bonne attitude, nous amène à nous sentir en sécurité. Nous sommes alors dans notre élan de vie. Par contre, si nous nous reportons à une expérience passée difficile ou souffrante qu'il nous faut absolument éviter de revivre, nous adopterons un comportement en fonction de cette expérience, non pas en fonction de la situation présente réelle. Le comportement ne sera donc pas approprié.

SENTIMENTS INTÉRIEURS

Je reviens à l'écoute intérieure. Souvent, les enfants entendent des bruits la nuit. Ils se réveillent en sursaut. Ils ont peur. Ils ont peur que maman soit partie, qu'un voleur soit entré, que le tonnerre retentisse, etc. L'imaginaire y est pour beaucoup. Ils ont entendu un bruit et ils n'en connaissent pas la source. Ils peuvent donc percevoir une menace. Ceci déclenche un comportement. Des possibilités s'offrent alors à eux. Ils peuvent devenir agressifs pour se défendre ou ils peuvent aller trouver quelqu'un pour se faire rassurer. C'est un comportement de survie.

L'ouïe transporte donc l'information de l'extérieur vers l'intérieur. Un comportement a été choisi en fonction d'un sentiment. Quel dommage qu'on ne donne

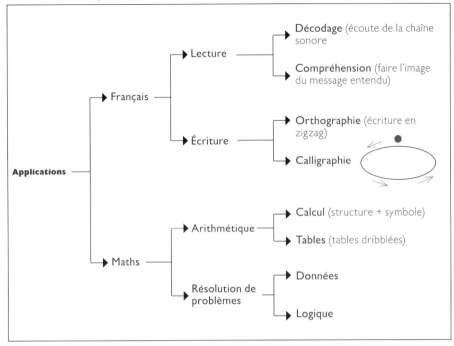

pas à ce sentiment toute son importance. On conclut souvent trop vite que l'enfant est nerveux, passif ou encore agressif. On attribue le comportement de l'enfant à sa personnalité, comme si cela faisait partie de son ADN. Il serait important d'évaluer, de juger d'une façon différente. De partir du sentiment...

Nous pouvons maintenant établir une distinction entre les mécanismes de défense et les traits de caractère. Prenons un exemple. Nous avons parlé des traumatismes qui peuvent survenir au moment de la naissance. Prenons le cas d'un bébé dont le cordon ombilical est enroulé autour du cou. L'enfant a le sentiment d'étouffer au moment où il sort du ventre de sa maman. L'apport sanguin, donc l'énergie de vie, est diminué. L'en-

fant ressent une sensation de malaise, sa vie est en danger. Il décide alors de ne plus bouger. C'est un réflexe de survie approprié, qu'il installe inconsciemment dans sa mémoire cellulaire. Si, au moment de cette naissance difficile, l'enfant a choisi d'instinct de ne pas bouger et que ça lui a réussi, il fait de cette expérience une réalité à tous les instants de sa vie et il répétera ce comportement.

Polochon

Voici Polochon, un petit poisson très intelligent, mais apeuré et préférant se cacher en attendant que le danger soit passé. Sa maman éprouve un sentiment de détresse, car, avec elle et les autres personnes de son entourage, il se sent en confiance et manifeste de vives capacités intellectuelles. Par contre, quand il est avec des gens qu'il connaît peu – à l'école, avec des amis, avec des voisins –, il ne se sent pas en confiance. Il se sent fautif ou il a l'impression que quelque chose cloche. Alors, il choisit l'inaction. Il ne bouge plus.

À l'école, la situation est dramatique. Le professeur sait que Polochon comprend les notions, mais ce dernier refuse de coopérer dès qu'il éprouve des difficultés. À la fin de l'année, il est si stressé à l'idée de devoir passer les examens avec les autres enfants de sa classe qu'il choisit de ne rien écrire. Son raisonnement est le suivant : « Si je n'écris rien, je ne peux pas faire de fautes. » L'orthopédagogue constate toutefois que, lorsqu'il est seul avec elle, il est capable de répondre correctement aux questions. Les résultats de ses examens ayant été pratiquement nuls, la direction de l'école a jugé bon de lui faire reprendre son année.

Les rencontres ont commencé cet été-là. Dès qu'il sortait du noyau familial, la détresse et la panique s'emparaient de tout son être. Il figeait. Même sa maman, alors qu'il était en quatrième année, ne pouvait pas lui demander d'aller au dépanneur acheter un litre de lait ou du pain parce qu'il était trop gêné. Évidemment, à l'école, il restait en retrait ; il n'avait pas beaucoup d'amis. Et il éprouvait toujours la même panique devant une feuille d'examen.

À la fin de l'année suivante, qui concordait avec la fin de sa rééducation auditive, il avait réussi ses examens et avait trouvé des activités qui l'intéressaient. Il a maintenant du succès dans ses amitiés et est capable d'aller de lui-même vers des gens qu'il connaît plus ou moins. Il a aussi trouvé des façons d'amorcer des conversations. Évidemment, la réussite scolaire était l'objectif premier, mais le plus beau de cette histoire, c'est qu'il est devenu le vrai Polochon, habile et énergique. Tous ceux qui l'ont connu avant sa rééducation auditive ont remarqué combien il avait changé, combien il était devenu intéressant. Cela le valorise et le motive à aller de l'avant et à découvrir de nouvelles choses.

Cela fait un an qu'on a terminé la rééducation et, aux dernières nouvelles, il allait très bien. L'école n'est plus pour lui un lieu de torture. En voilà un autre qui est très heureux de son sort !

ÉQUILIBRÉ OU DÉSÉQUILIBRÉ ?

Un enfant dont l'écoute centrale est juste, donc synchronisée, reçoit une information exacte. Il aura donc la capacité de s'adapter à la réalité et on le reconnaîtra comme étant « équilibré ». Par contre, les enfants atteints d'un dysfonctionnement de l'écoute centrale, sont toujours inquiets. Ils ne sont pas rassurés par des perceptions auditives claires.

Reprenons l'exemple du bruit nocturne que nous avons donné précédemment. L'adulte qui entend un bruit anormal ira voir et essaiera d'en déterminer la cause. S'il réussit, et si la source du bruit ne constitue pas un danger, il sera immédiatement rassuré. Par contre, s'il ne reconnaît pas le bruit, il sera habité par le même sentiment que l'enfant qui éprouve une difficulté d'écoute centrale. Devant une inquiétude paralysante, la mélodie de l'écoute ne s'installe pas. Pourtant, on la recherche constamment.

La difficulté s'amplifie dès l'instant où l'on reconnaît un comportement inadéquat et que, comme adulte, on y réagit mal. L'éducateur responsable avertit l'enfant, car ce jeune a besoin d'apprendre à respecter les normes et les consignes. S'il ne reconnaît pas la difficulté de l'enfant, il peut passer des commentaires qui augmenteront son inconfort intérieur. S'il lui dit : « Tu exagères ! » ou bien s'il lui demande : « Qu'est-ce que tu fais ? », l'élève redoublera d'ardeur pour maintenir ce comportement. On le reconnaîtra alors comme un « déséquilibré ».

Une écoute centrale fonctionnelle nous amène à être confiant et à bien gérer les situations. Nous développons alors une écoute intérieure rassurante et devenons habiles à prendre les bonnes décisions. Nous sommes dans une mélodie de l'écoute. Sinon, c'est l'impasse.

Pan-Pan le lapin

Je vous présente maintenant une pré-adolescente, Pan-Pan le lapin. Tout comme le petit lapin, elle est excessive, hyperactive, un peu agressive et un peu rebelle. Pan-Pan a toutefois la grandeur d'âme et l'énergie nécessaire pour faire aboutir les choses. C'est d'ailleurs une merveilleuse danseuse. Cette jeune fille m'a été envoyée par une naturopathe, parce que sa maman a tenté par tous les moyens – suppléments alimentaires, Oméga 3, etc. – de diminuer les conséquences négatives de son hyperactivité.

À certains moments, elle est très douce, à d'autres, elle est rebelle. Pan-Pan refuse de participer à des activités dès lors qu'elle ne les a pas choisies elle-même. Cette belle enfant arrive donc avec un grand sourire et une belle énergie. Rester assise le temps de l'évaluation lui est pénible. Résultat, l'on diagnostique une hyperactivité assez importante. En même temps, on se rend compte qu'elle occupe l'espace et se meut de façon exceptionnelle. Hyperactive, mais gracieuse et flexible, elle aime la danse. Elle a du talent. Son corps bouge remarquablement

bien. Par contre, dès qu'elle a peur d'échouer, elle ricane, s'agite et joue avec toutes les babioles qui sont à sa portée, au grand désarroi de sa mère. Celle-ci, démunie devant ces changements de comportement, tente de la rassurer et de la calmer, en espérant qu'elle reporte son attention sur ce qu'elle faisait. Sa mère répète souvent : « Elle n'arrive pas à se concentrer. »

Au moment où j'écris ces lignes, nous en sommes au milieu du travail de rééducation auditive et déjà Pan-Pan a compris son mécanisme de défense, qui est de se distraire par toutes sortes de moyens. Elle retrouve son potentiel. Ce qui a facilité le travail, c'est sa capacité à bouger avec grâce et fluidité. C'est ce que j'ai utilisé pour lui permettre de se concentrer. Les dyslexiques, eux, ont de la peine à utiliser leur corps pour récupérer leurs capacités. Ils n'ont pas les repères spatiaux nécessaires pour canaliser leur énergie et rester concentrés sur une tâche, celle de l'écoute.

Comme je n'ai pas complété le travail avec elle, je ne peux pas vous faire part des résultats à long terme. Toutefois, déjà, les séances sont beaucoup plus intéressantes pour elle comme pour nous. Pan-Pan a fait des progrès en lecture et sa compréhension est aujourd'hui ce qu'elle doit être pour un élève de sixième année. Elle réussit très bien. Voilà un grand progrès, un progrès rapide. Et je pense qu'elle a compris l'essentiel sur la façon d'accéder à son potentiel : son écoute intérieure, son sentiment à elle, sa perception physique.

De là, il n'y a qu'un pas pour compléter son parcours : mettre en application les techniques d'écoute, c'est-à-dire les stratégies d'écoute qui lui permettront de rester concentrée sur une tâche scolaire et de la mener à bien. Au dernier rendez-vous, elle m'annonçait qu'elle avait eu un examen en lecture et qu'elle avait obtenu un vert. Le vert, c'est juste avant le bleu et le bleu, c'est la perfection. Pan-Pan est sur la bonne voie. Elle est très heureuse et sa maman constate qu'à la maison son comportement s'est aussi beaucoup amélioré.

Il faut dire que maman aussi a fait son chemin. Elle est devenue beaucoup plus confiante et elle accepte de laisser à sa fille l'espace dont elle a besoin pour accéder à son potentiel. Je tenais à parler de Pan-Pan parce que c'est une enfant qui avait, aux dires des professeurs, un mauvais caractère et une personnalité difficile. Je pense qu'il faut noter une chose ici. Souvent, ce que l'on prend pour des traits de caractère est en fait des attitudes et des comportements qui sont utilisés pour camoufler une difficulté.

LA CRÉATIVITÉ

Jouir de cette mélodie de l'écoute nous permet d'avoir de l'assurance. Toute notre créativité peut alors s'exprimer pleinement. Rien n'entrave l'écoute de nos idées et l'écoute de ces idées va nous permettre d'aller chercher une image, donc d'avoir une vision de notre pensée. Grâce à cette vision, le cerveau fait ce qu'il faut faire pour que nous parvenions à une production qui soit satisfaisante et intéressante. Rendre concrète une idée qui au départ était abstraite est une réussite. Cette réussite suppose que nous avons trouvé la façon de faire pour arriver à un résultat concret, adéquat — au bon moment et à la bonne place —, que les gens autour de nous seront capables d'utiliser ou d'apprécier.

Par la suite, nous puisons dans ce succès. Nous y trouvons une motivation importante qui nous mène à la performance. Quand je parle de performance, je ne parle pas de surpasser tout le monde ni de battre des records mondiaux. Je parle plutôt d'une façon de faire les choses qui me motive à atteindre un résultat satisfaisant pour moi et pour les autres. C'est ça, la performance.

Les athlètes, les écrivains, les artistes, les inventeurs qui émergent au-delà de la moyenne se sentent dans un état d'âme, dans une mélodie d'écoute, dans une fluidité avec eux-mêmes qui les amènent à avoir confiance d'atteindre leur objectif. Ils ont le talent et la capacité, ils ont le goût et ils fournissent un effort soutenu pour atteindre les objectifs qu'ils se sont fixés.

Par cette qualité d'écoute, j'arrive à augmenter ma motivation. Si ma motivation touche ma survie, je me protège. Et souvent, quand je me protège, je me limite. Dès que je me limite, je n'ose pas me dépasser. Je ne prends pas le risque de relever des défis qui m'apporteraient pourtant de grandes satisfactions. Il est bien que je fasse appel à mon instinct de survie pour me protéger d'un danger ; par contre, il est malheureux d'y faire appel pour définir ma manière d'être, car à long terme il me coupe de mon élan de vie.

RETOUR À LA MOTIVATION

Les exemples donnés doivent nous amener à évaluer différemment son attitude. Nous sommes en présence d'un enfant qu'on dit souvent amorphe, paresseux, léthargique. Des tas de mots qui signifient simplement que l'enfant est dans une énergie de vie minimale.

Comment remédier au manque d'estime de soi sachant que la motivation n'est pas une cause mais plutôt une conséquence au succès ? Si on a mis toute son énergie à vouloir survivre à une difficulté, on s'habitue à agir et à réagir en conséquence. L'estime de soi en prend un coup. On n'a encore jamais trouvé comment on peut inculquer à l'enfant sa motivation. Mais, si on fait soi-même une lecture de son corps, de son langage corporel, de son langage non verbal, on arrive à lui donner les mots et il est alors capable de confirmer que c'est bien ce qu'il vit.

Lorsqu'on dit qu'un enfant n'a pas d'estime de soi, il faut comprendre qu'il n'est pas satisfait de sa performance. Il a des idées, mais il ne sait pas les écouter. Il n'a pas non plus conscience des moyens à prendre pour concrétiser son idée. Sa créativité n'est pas suffisamment organisée pur se matérialiser et, conséquemment, il ne peut pas autoévaluer sa performance. Son estime de soi est en baisse parce qu'il n'a pas la satisfaction de produire ou de créer.

L'ENCOURAGER OU LE DÉCOURAGER ?

Quand les enfants s'entendent dire qu'ils ne sont pas bons, cela contribue à diminuer leur estime de soi. Les enfants sont des éponges. Ils n'ont pas assez de référence pour faire une évaluation juste. Ils vivent différentes situations et ils croient que ça, c'est la réalité. S'ils entendent des adultes émettre une opinion, ils associent l'opinion de l'adulte à une réalité parce qu'ils n'ont pas assez de recul et d'expérience pour faire une comparaison. S'il n'y a pas de comparaison, ils n'arrivent pas à une conclusion. Pourquoi maman est-elle fâchée ? Parce que j'ai trop de fautes dans ma dictée. Oh là là ! S'installe une dysfonction. « Maman est fâchée parce que le professeur a dit que tu avais dérangé la classe. » Ce n'est pas la même chose que d'avoir trop de fautes dans sa dictée. L'enfant a donc choisi de perturber la classe pour qu'on oublie qu'il avait fait trop de fautes dans sa dictée. Il y a

des comportements qu'il faut évaluer avant de porter un jugement qui diminuera l'estime de soi de l'enfant.

C'est assez subtil comme jeu entre eux et nous et c'est assez difficile. J'y reviendrai un peu plus tard quand nous parlerons des applications de l'écoute dans l'apprentissage scolaire. L'erreur qu'on fait souvent sans s'en rendre compte, c'est de tenter de convaincre l'enfant qu'il a la capacité de faire une chose, alors qu'il croit le contraire. On veut le motiver à réécrire un mot qu'il a mal écrit et on lui répète : « Tu es capable, tu sais bien que tu vas être capable. »

En agissant ainsi, nous croyons le motiver. Nous voulons qu'il acquière l'habileté à écrire une lettre ou un mot, ou à lire une comptine ou une phrase. Toutefois, si, à cause de son expérience, il n'a pas la conviction qu'il va réussir, parce qu'il n'y est jamais arrivé auparavant, il y a confusion. Il n'a pas les repères, il se sait mal parti, il n'a pas la capacité de dire s'il est bon ou non. Il sait seulement qu'il n'y est jamais arrivé.

Il ne tiendra pas compte de nos encouragements, car son expérience et sa perception l'amènent à croire qu'il n'est pas bon. Voyons comment on peut faire autrement.

Alice au pays des merveilles

Alice au pays des merveilles est une merveilleuse enfant que je connais depuis sa naissance, car c'est ma petite-cousine. Alors que son père était adolescent, on a décelé chez lui un dysfonctionnement de l'écoute centrale démontrant un profil de dyslexie. Le souvenir de ses difficultés scolaires l'a incité à agir très rapidement pour éviter à sa fille de vivre comme lui les souffrances de l'échec. Très intelligent et plein d'idées, il était pourtant un peu en retrait du fait que ses résultats reflétaient un rendement inférieur à son potentiel. Pour compenser, il faisait le clown ! Après sa rééducation auditive, il a fait, et réussi, des études universitaires.

À l'occasion de sa première rencontre avec l'enseignante d'Alice au pays des merveilles, à la remise du premier bulletin, mon cousin apprend que sa fille devra reprendre sa première année. Il connaît la capacité intellectuelle de sa fille et a reconnu les symptômes qu'il avait lui-même présentés. Il m'a donc téléphoné et m'a dit : « Bon, ça presse. Il faut faire quelque chose. C'est pas vrai qu'on va la laisser comme ça. Et c'est pas vrai qu'elle n'est pas capable de comprendre et de réussir sa première année. » Nous avons donc décidé d'agir.

Dans un premier temps, l'évaluation. C'est clair, on constate le même profil de dyslexie que chez son père. Ce dernier ayant été transféré aux États-Unis pour son travail, Alice s'est retrouvée dans une école anglophone. Ses professeurs ont tout de suite attribué sa difficulté au fait que sa langue maternelle était le français. Pourtant, elle connaissait assez bien l'anglais, car elle l'avait déjà parlé et entendu dans sa famille. Ils faisaient donc fausse route.

Nous avons commencé tout de suite à tenter de redonner à Alice une façon de récupérer sa capacité d'écoute des messages sonores. Elle n'était pas sourde, c'est sûr, mais elle avait beaucoup de difficulté à choisir les repères qui allaient lui permettre de décoder. Les repères étant manquants, la logique était déficiente. Grâce au travail accompli, et grâce au soutien de papa et de maman, Alice retrouve ses repères en français et en anglais. Elle travaille très fort pour harmoniser son écoute. Elle est très motivée. Elle veut réussir et écoute maintenant à l'aide de repères fiables. Maman participe avec enthousiasme aux exercices. Finalement, Alice n'a pas échoué sa première année.

Elle a toutefois dû prendre une autre année et demie avant de se sentir vraiment confiante, mais elle n'a pas revécu d'échecs. D'une expérience positive à l'autre, elle reçoit au début de son secondaire le prix d'excellence de son école. Au moment où j'écris ces lignes, elle termine le cégep. Elle vient d'apprendre qu'elle est acceptée à l'université en sciences politiques. Quelle belle réussite pour une enfant à qui, au premier bulletin de la première année, l'on avait dit qu'elle devrait reprendre son année parce qu'elle était incapable de suivre. C'est très stimulant d'aider les jeunes à retrouver leurs capacités, leur plein potentiel. Ils veulent pouvoir utiliser leur capacité intellectuelle. Alice s'en est sortie avec brio et aujourd'hui c'est une belle jeune fille de 18 ans. Je lui souhaite une merveilleuse vie.

Chapitre 5

APPLICATIONS DANS LES APPRENTISSAGES SCOLAIRES

« Ce qui se conçoit bien s'énonce clairement et les mots pour le dire arrivent aisément. »

BOILEAU

Nous allons bientôt apprendre comment se déroule la rééducation d'une écoute centrale.

AVANT L'ÉCOLE, LES VOYELLES GRÂCE À MAMAN

D'instinct, maman allonge les voyelles. L'apprentissage d'une langue présuppose une qualité verbale invitant l'apprenant à utiliser son écoute pour reproduire une modulation. Une étude récente démontre que, dans toutes les langues, les mamans allongent les voyelles instinctivement pour apprendre à leur enfant à saisir le sens d'un mot ou pour leur donner le goût de cette communication verbale. Alors, elles ne disent pas : « Bonjour, mon coco. » Elles disent : « Booooooon... jouuuur, mooooooon... coooooooo... coooooooo. » Cet allongement des voyelles s'avère un vrai plaisir pour leur rejeton. Il reste alors présent, intéressé, et il participe à cette conversation.

Le rôle de la voyelle est de faire voyager la vibration et, par conséquent, de faire voyager l'information. Les sons voyelliques permettent à l'enfant de saisir l'intention. Il ne connaît pas encore le mot, mais il veut l'apprendre. On veut qu'il le répète et, voilà, le tour est joué.

Les mamans, d'instinct, ont l'impression que c'est grâce à la voyelle que le message devient plus facilement analysable pour l'enfant. Ceci développe la modulation et, grâce à cette modulation, l'enfant réussira à apprendre les consonnes. Les consonnes permettent une articulation juste pour transmettre l'information verbale véhiculée par les mots.

Si le bébé a souffert de nombreuses otites, le feutre formé par un tympan rougi et gonflé diminuera la stimulation sonore que l'enfant doit ressentir dans son corps et ensuite de la récupérer pour faire vibrer cette sonorité-là. Pour rétablir cette mémoire du corps, il faudra revenir à l'oreille, la stimuler de nouveau, pour lui redonner l'accès au juste endroit de la bande sonore. Il aura ainsi récupéré sa capacité à faire vibrer cette sonorité-là pour ensuite devenir apte à l'exprimer.

Cela illustre bien que c'est cas par cas, avec chaque enfant qu'il faut travailler à redonner à l'oreille la capacité d'aller chercher le son dans toute l'étendue de la bande sonore et de retrouver la capacité de vibration. Ces moyens vont permettre à l'enfant de capter le message, de réutiliser les sons qui le composent et de donner suite au premier message. Chacun pourra ainsi vivre pleinement sa vie.

PRÉMISSE DE L'ÉCOUTE : LA PRÉSENCE

Commençons par l'application de ces nouvelles stratégies d'écoute dans les apprentissages scolaires. Vous voulez peut-être de nouvelles méthodes pédagogiques ? Je n'en ai pas à vous offrir, car celles que l'on utilise sont toutes valables, en ce sens qu'elles présentent toutes un aspect profitable. Reste à fouiller pour choisir ce qui convient le mieux à l'objectif ciblé.

Ce que je vous propose porte sur votre manière d'être et non sur votre manière de faire. Vous allez me dire que tout ce qui précède relève davantage de la psychologie que de la pédagogie, que nous sommes enseignants ou intervenants et que, par conséquent, notre mandat est d'enseigner et non d'agir en tant que psychologues avec les enfants. Je suis convaincue, comme vous d'ailleurs, que vouloir communiquer sous-entend harmonie et ouverture.

L'harmonie recherchée prend sa source dans la qualité de la relation entre ce que je pense et ce que je dis. Dès que j'ai clarifié ma pensée par mon écoute intérieure, les mots pour la dire se présentent. La concordance entre ma pensée et son expression crée un sentiment d'harmonie et de confiance favorisant l'ouverture. L'intégrité appelle à l'équilibre : le non-jugement favorise l'élan de vie.

S'installe alors une objectivité sans pour autant qu'elle devienne l'objectif. Ce contexte exempt de critiques négatives prépare le sentiment d'équilibre où l'on se fait mutuellement confiance et où peut éclore la mélodie d'écoute. Je me répète, je ne fais pas un jeu de mots. Cet équilibre, cette harmonie permettent aux enfants une ouverture à l'écoute. Grâce à cette écoute, ils sauront profiter au maximum du message que je cherche à leur transmettre. Autrement dit, apprendre, c'est comme manger. C'est la faim qui déclenche ma quête de nourriture. J'ai besoin d'avoir le goût de m'alimenter pour aller voir ce qu'il y a d'intéressant à manger. C'est la même chose pour l'apprentissage. Il faut que j'aie le goût d'aller chercher l'information, de l'ingurgiter, de l'assimiler, de la digérer pour la faire mienne. Alors, il faut tout d'abord se donner un contexte qui favorise cette écoute.

Oui, il est nécessaire, et je dirais même essentiel, de comprendre les mécanismes de notre psychologie, c'est-à-dire de notre façon d'être en communication avec les gens autour de nous, car, pour réussir à communiquer, il faut un contexte d'ouverture. Sans ce contexte, l'enfant sera tenté d'utiliser ses mécanismes de défense. Notre réflexe de survie mettra tout en branle pour éviter qu'une information porteuse de menace nous parvienne. Dès que je veux m'engager verbalement – ou non – dans une communication, il me faut moi-même être dans mon élan de vie. Je susciterai alors chez mon interlocuteur un réel intérêt pour les informations que je tente de lui communiquer. C'est la clé.

C'est un atout pour quiconque travaille en éducation de comprendre le mécanisme de cette écoute. Je vous concède que ce n'est pas facile, car nous n'avons pas reçu la formation nécessaire. On nous a présenté une information d'une façon visuelle et on a appris à la redonner d'une façon visuelle. L'important ici est de réévaluer la part de mon écoute dans mes interventions, dans mes façons d'être avec les autres. Se sentent-ils en sécurité en ma présence ? Un contexte d'ouverture favorisera la réception de ma communication, de mon information, de mon message.

Dans un contexte idéal, ce devrait être l'objectif premier de toute personne intervenant dans un milieu scolaire. J'ai enseigné dans les écoles à plusieurs niveaux et dans différents domaines, et il

y a toujours au départ ce besoin d'être présent à l'autre, d'être en contact. L'écoute va leur donner le goût de recevoir l'information.

Au cours de mes expériences d'enseignement, je n'ai jamais rencontré quelqu'un qui n'avait pas intérêt à se faire comprendre et à transmettre des connaissances. Je ne connais personne qui s'implique en milieu scolaire avec l'intention de démolir les enfants avec lesquels il interagit. Au contraire, son but premier est toujours de faire en sorte que les enfants reçoivent le message, saisissent l'information, apprennent les notions pour réussir. C'est ça, l'objectif d'un éducateur.

Je vous propose ici de nouvelles façons de faire pour apprendre aux enfants la lecture, l'écriture et les mathématiques, en leur donnant d'abord les repères d'écoute indispensables à la structure de leur pensée. Vous verrez leur intérêt s'accroître. Ils développeront leurs aptitudes. Elles se manifesteront spontanément.

Énumérons maintenant les bénéfices d'un synchronisme de l'écoute centrale pour les apprentissages.

L'APPRENTISSAGE DU LANGAGE

La surdité empêche le bébé d'entendre les sons et, par conséquent, de les répéter. Dans le doute, la première démarche consiste donc à vérifier son acuité auditive. Une fois qu'on est rassuré, il est important de vérifier si l'analyse du son entendu lui permet de le répéter. On le sait maintenant, l'enfant est dans son corps. Il perçoit son environnement à partir de ses cinq sens. L'oreille est celui qui lui donne accès à tout ce qui se passe autour de lui. Il n'a pas besoin de regarder, de voir, il peut utiliser son écoute pour se sécuriser à l'intérieur de son environnement familier. La cochlée a pour mission de déterminer la hauteur du son entendu, ce qui va amener l'enfant à une modulation, une articulation, qui soit juste, pour pouvoir répéter le son à la hauteur voulue.

Les canaux semi-circulaires nous permettent de rester en équilibre, par exemple lorsqu'on marche ou qu'on est à vélo. De plus, ils permettent à l'enfant d'analyser le son qu'il reçoit de l'extérieur et de se situer dans l'espace et le temps. Il possède ainsi les balises spatio-temporelles favorisant sa réussite.

L'écoute centrale nous permet de traiter et d'analyser l'information en fonction d'un moment et d'un lieu. L'enfant est fin prêt à répéter les sons selon un rythme et une structure et à reproduire le mot entendu. Il sera aussi capable de lui attribuer un message. L'enfant a la capacité de communiquer. Il est capable d'émettre,

de recevoir, d'analyser et de retourner une information personnelle. L'important à comprendre, c'est que le verbal se développe à partir des engrammes sonores placés dans le corps. L'enfant qui apprend à parler doit sentir ce son dans sa caisse de résonance, soit dans son corps. C'est dans son corps qu'il doit placer le son selon l'analyse qu'il en a fait pour le récupérer au besoin en lui-même.

Nous avons besoin d'air. C'est connu, s'il n'y a pas d'air, il n'y a pas de son. Notre respiration devient le courant d'air qui porte le son à l'extérieur de nous. Notre être entier se mobilise pour manifester notre intention de communiquer notre idée à notre entourage. Très jeunes, les enfants balbutient, s'amusent à faire des sons à toutes sortes de fréquences, toutes sortes de modulations. Ils prennent un grand plaisir à s'écouter. Leur plaisir consiste à ressentir toutes les vibrations dans leur corps. Ils deviennent familiers avec l'outil nécessaire pour répéter ces fréquences sonores, afin d'en arriver à exprimer avec leur air, leur respiration, le message qu'ils désirent transmettre. Ils harmonisent leur écoute avec leurs autres sens pour capter l'attention et l'intérêt des gens autour d'eux.

LE CORDON OMBILICAL SONORE

L'enfant a le goût que se poursuive cet échange avec sa mère. Il se fie donc aux expériences de balbutiement déjà mémorisées. Il détermine le son et tente de le répéter pour que maman réponde à son tour. S'installe alors la boucle de la communication. En réalité, dès que maman lui dit « ma ma ma man », il entend « ma ma ma man ». Il aime ce son et il l'associe à elle. Lorsqu'il répète des sons, il perçoit qu'elle porte son attention sur ce qu'il vient de dire.

Évidemment, ce n'est pas encore une compréhension logique, intellectuelle, mais le ressenti d'un plaisir. Et il a le pouvoir d'échanger ce plaisir avec maman. Alors, il répète « ma ma ma man » et s'amuse à pouvoir entrer en communication avec les gens. Puis, au tour de papa d'établir cette boucle de plaisir. Puis, c'est le toutou, le chat qui « conversent » avec lui. Captivé et stimulé par cette mélodie de l'écoute, il cherche à croiser ce qu'il en perçoit avec ce que les autres sens perçoivent. Cela lui permet de mieux décoder. Ses yeux voient que c'est beau ou laid. Le toucher lui dit si c'est doux ou rugueux. Toute son expérience l'invite à utiliser cette vibration partout. Un bon jour, alors qu'il a faim, au lieu de crier, il dit : « Encore. » Le message est compris, on le nourrit. Mission accomplie, satisfaction garantie. De succès en succès se développe le langage chez l'enfant. Ça se fait au fil du temps, tranquillement, en lui par-

lant, en lui offrant des sons et en lui faisant vivre une expérience agréable : la vibration sonore de nos intentions, de notre voix, de notre expression. Les engrammes se gravent, les circuits neurologiques se façonnent, l'intelligence se programme, les habiletés se manifestent.

Les parents me confient souvent que leur enfant les devine. Évidemment que les enfants nous devinent ! La vibration de notre voix véhicule nos pensées, nos intentions. Tout petits, ils n'ont pas besoin de comprendre le message verbal. Ils n'ont pas besoin de savoir quel est le sens du mot qu'on utilise. La vibration seule de notre voix leur donne à savoir si le message provient d'une situation agréable, anxiogène, plaisante, contrariante ou inquiétante. Ils ont la capacité de percevoir tout ça simplement par l'écoute de la vibration de notre voix.

Comme il est dans son corps, l'enfant a la capacité de comprendre le langage non verbal. Il saisit notre intention grâce à la vibration de notre voix, mais aussi grâce à notre expression faciale et à nos gestes. Il nous répond par une expression physique. Il rit, sourit, nous fait des beaux yeux, vient à nous, nous tend les bras ou il pleure, se sauve, etc. Tout cela est déjà une forme de communication et c'est la base de nos échanges affectifs. La quête d'une relation satisfaisante nous incite à développer la communication. L'enfant est prêt à répéter le son qu'il entend. Bien servi par une cochlée et des canaux semi-circulaires, il est équipé pour utiliser la chaîne sonore.

Bébé aura jusqu'à trois ans pour apprendre à parler correctement, sans que les adultes de son entourage ne s'en préoccupent. On reste vigilant, on observe beaucoup, on est attentif à ce qui n'est pas facile pour lui de répéter, mais il n'y a pas encore d'urgence. À partir de trois ans, il y a lieu d'intervenir s'il nous apparaît évident qu'il n'arrive pas à répéter une chaîne sonore selon le langage de son entourage.

LANGUE MATERNELLE ET LANGUE ÉTRANGÈRE

J'ouvre une parenthèse afin d'apaiser vos craintes. On croit à tort qu'il est mauvais pour l'enfant de parler plusieurs langues en sa présence. Au contraire, plus l'enfant jouit d'une écoute centrale fonctionnelle, donc d'une analyse juste du son entendu, plus il est capable de graver dans sa mémoire la vibration de ce son. Les très jeunes enfants qui sont dans un milieu où l'on parle plusieurs langues sont privilégiés, en se sens qu'ils profitent de stimuli plus variés.

Évidemment, ces enfants ont besoin de plus de temps pour développer les circuits neurologiques correspondant à la langue parlée. Ils doivent déterminer où leur corps doit résonner pour reproduire la vibration de la langue qui est parlée. Ces enfants ne disent pas les mots en utilisant la bande sensitivo-sonore d'une autre langue. Ils n'ont donc pas d'accent comme les adultes qui apprennent une langue après que l'oreille ait laissé

tomber les segments du spectre sonore non sollicités. Par contre, l'apprentissage des langues est un peu plus long, la structure de chacune des langues s'installe à l'usage.

À la naissance, le spectre auditif de l'enfant est très large. Mais, comme la nature ne garde pas ce dont on n'a pas besoin, si les stimuli diminuent, la capacité d'écoute diminue aussi. Au fait, la langue qu'on nomme «langue maternelle» est celle entendue *in utero*. Si l'on s'adresse à l'enfant uniquement dans sa langue maternelle, tout le spectre non utilisé, du fait qu'il se réfère à une autre langue ou à une autre façon de faire vibrer le son de la langue parlée, n'est plus reconnu par l'oreille.

L'utilisation de plusieurs langues devant un enfant n'entraînera pas non plus de problèmes d'apprentissage. Il suffit de lui donner le temps de repérer, de ressentir et de localiser chacune des langues apprises. Il apprendra aussi à écrire, même si cela s'avère un peu plus long.

On n'a pas à parler une seule langue sous prétexte que l'enfant ne comprendrait pas les autres. Ce dernier a la capacité de comprendre le non-verbal. Il n'a donc pas besoin de connaître le sens exact d'un mot pour le comprendre. Par conséquent, la langue utilisée n'a pas une grande importance.

Dès qu'ils ont appris une langue, ils se servent des mots. L'intérêt à communiquer s'accroît chez l'enfant qui apprend deux ou trois langues ou qui est dans un milieu où on parle deux ou trois langues. Pendant un certain temps, il nous semble que l'enfant a moins de vocabulaire. Mais ce n'est pas vrai. C'est tout simplement qu'il faut lui laisser le temps d'enregistrer le spectre sonore, le vocabulaire et les sonorités qui vont avec chacune des langues. Il doit parvenir à faire une distinction pour être capable de savoir quand il parle en français, en anglais ou en allemand. Il apprend qu'il doit se référer à cette bande sonore-là pour pouvoir s'exprimer dans cette langue-là. L'avantage à long terme réside dans le fait qu'il développe des stratégies d'écoute diversifiées.

Si l'apprentissage est un peu plus long, l'enfant n'est pas en retard pour autant. Un retard de langage, c'est quand l'enfant tente de répéter les mêmes mots dans la même langue et qu'il ne parvient pas à le faire avec justesse. Il nous est difficile de comprendre le message qu'il tente de nous transmettre. Nous arrivons quand même à comprendre ce qu'il dit, car il est capable de structurer les phrases, mais son articulation est incorrecte. Cette difficulté découle d'une incapacité à localiser l'espace sonore dans son corps. Cet exercice est essentiel pour réussir à répéter cette sonorité si importante pour l'articulation.

LES DIFFICULTÉS SCOLAIRES

Le langage est le premier niveau d'intervention pour éviter que l'enfant arrive à la maternelle avec un bagage qui lui fera vivre des échecs inutiles. Plusieurs enfants apprennent à parler sans problème. Ils apprennent les mots, ils les répètent ; la structure de leurs phrases est correcte. Ils ont une écoute assez sensible pour aller dans la bande sonore requise, et réussir à répéter le son et à verbaliser l'information avec une bonne articulation.

Toutefois, il peut arriver qu'un enfant qui n'a pas eu de difficulté à apprendre à parler éprouve des difficultés à décoder et à lire. Dans le chapitre traitant des maladies de l'écoute, nous avons répertorié tous les profils d'une dysfonction auditive. Ces profils nous indiquent l'ampleur et la spécificité de la difficulté d'apprentissage, surtout pour évaluer un problème relatif au décodage ou à l'apprentissage de la lecture ou de l'écriture, lorsque, au départ, l'enfant ne présentait pas de problème de langage.

Lorsqu'une telle situation se présente, il faut faire évaluer l'écoute centrale de l'enfant dès la manifestation des premiers symptômes. Il faut tout de suite lui donner de nouvelles stratégies d'écoute. Une écoute centrale dysfonctionnelle, quel que soit le profil – dyslexie, déficit d'attention ou hyperactivité –, doit être corrigée. Soyons vigilants ! Veillons à corriger le problème dès qu'on en prend conscience.

Évaluons le profil de l'écoute centrale de l'enfant dès les premières difficultés. Intervenons adéquatement en lui permettant d'accéder à tout son potentiel avant que ne se détériorent sa motivation et son intérêt. Appuyons-nous sur son énergie vitale. Minimisons les effets secondaires néfastes d'un mécanisme de défense. Et rappelons-nous que la peur de ne pas réussir va définitivement déclencher chez l'enfant une fermeture. Voilà l'urgence, car cette dernière amplifie la détérioration de son outil principal : son écoute centrale. Et un cercle vicieux s'installe alors rapidement.

Le roi Lion

Le roi Lion était un enfant qui, aux dires de sa maman, était un vrai chérubin qui savait plaire aux adultes de son entourage et les amuser. C'était un enfant sans frère ni sœur, entouré d'adultes. Tous avaient décelé chez cet enfant de l'intérêt et une curiosité d'apprendre. Pourtant, en troisième année, il connaît des échecs scolaires. Ses parents se sont donc mis à chercher une solution.

Ce beau garçon mérite le surnom de roi Lion. Convaincu qu'il est le roi de la jungle, il s'attend à ce que toutes les créatures de la planète s'ajustent à sa difficulté. Le profil de son écoute centrale démontre clairement qu'il ne comprend pas le sens de ce qu'il entend. Comme il était habitué au soutien immédiat et

constant de ses parents, il avait imprimé dans son système nerveux que sa demande avait force de loi. Son profil mixte, composé d'une touche de dyslexie jumelée à un léger déficit de l'attention, le déstabilisait dans son organisation. Il s'éparpillait beaucoup. Cette courbe mixte ne lui causait pas d'ennui dans le décodage comme tel, mais plutôt dans la compréhension et l'analyse du message entendu.

Maintenant qu'il a changé ses stratégies d'écoute et qu'il saisit le sens de ce qu'il entend, notre roi Lion a adopté une autre attitude, une attitude plus intéressante. Ses parents lui ont apporté tout le soutien nécessaire. À l'école aussi, les gens lui ont donné le temps qu'il fallait pour qu'il réalise qu'il avait mal analysé un message. Intéressé à réussir et brillant, il a su changer son attitude et adopter une stratégie d'écoute beaucoup plus efficace.

Le roi Lion a aimé l'expérience. À la fin de sa troisième année, il était devenu tellement bon en lecture et en compréhension qu'il a terminé avec une moyenne de plus de 90 %. Aujourd'hui, il est en 4e secondaire et conserve une moyenne générale dans les 80 %. De succès en succès, son intérêt s'est accru. Il a su

■ RECOMMANDATIONS POUR TOUS LES ENFANTS

ÉTAPES D'ÉVOLUTION DE L'ÉCOUTE	LES CONDITIONS PRÉALABLES APPORTÉES PAR L'ENVIRONNEMENT
1	• Favoriser des moments de silence tout en gardant un contact avec l'enfant afin qu'il se sente en sécurité. • Mettre de la musique douce, avec mélodie marquée, qui stimule, mais sans agresser. • Partager son vécu avec l'enfant qui grandit en favorisant l'expression de ses sentiments. • Prendre ces habitudes dès le stade embryonnaire et les perpétuer.
2	• Lui apprendre à organiser ses activités : horaire, durée. • Les structurer avec lui, les détailler, les organiser. • Prévoir le déroulement de chaque étape.
	LES CONDITIONS PRÉALABLES CHEZ L'ENFANT
3 Pour créer l'image	Puiser dans son imaginaire (écoute de son idée) • Représentation de l'image. • Détermination de l'idée principale. • Élaboration du débit verbal (expression). De sa perception à sa réceptivité (écoute extérieure) • Image qui représente le message. • Déroulement des images (compréhension).
4	• Apprentissage. • Intégration de la notion. • Transposition dans ses autres activités.
5	• Apprentissage de la patience. • Détermination des objectifs. • Gestion des étapes.
6	• Évaluation de ses réalisations. • Comparaison avec les consignes reçues. • Établissement du degré de satisfaction.
7	L'apprentissage de ses expériences • Succès (félicitations). • Erreurs (détermination de la cause des erreurs). • Choix de s'appuyer sur sa découverte pour se corriger.
8	Le concept de tolérance • Évaluation de la situation. • Choix de l'attitude appropriée.

APPLICATIONS DANS LES APPRENTISSAGES SCOLAIRES

mettre à profit les stratégies apprises pour réussir dans les autres matières. Le roi Lion est devenu un jeune homme avec des qualités de leader. Et il est maintenant capable de gérer des situations conflictuelles sans exiger de toute la planète qu'on ne le contrarie pas.

L'APPORT AUDITIF EN LECTURE

En milieu scolaire, on a la conviction que la lecture fait appel au visuel. Il y a, bien sûr, une part visuelle dans la lecture, mais elle n'a pas plus d'importance que celle de l'écoute. La lecture devient efficace à partir du moment où l'élève, pour décoder les lettres du mot, fait appel au son qui correspond à cette graphie. À l'écriture, c'est l'inverse. On va vouloir donner au son la graphie qui le représente, pour ensuite pouvoir passer à l'apprentissage de l'orthographe et à l'écriture de phrases.

Dans un premier temps, pour lire, il faut que l'œil voie la lettre, donc la graphie, et que l'oreille, simultanément, renvoie le son qui lui correspond. Quand le son est clair, c'est un jeu d'enfant. Mais ce n'est pas instantané! Il faut donner à l'enfant le temps d'écrire la lettre en respec-

tant sa forme tout autant que sa position dans le mot.

Prenons l'exemple d'un mot très facile à lire: «ami». D'abord, l'œil voit la lettre «a», puis l'oreille nous fait entendre le son qui lui correspond. La même chose se produit pour le «m» et le «i». Se forme alors une chaîne sonore qui respecte la position du son selon sa place dans le mot. Le centre du langage de l'hémisphère gauche du cerveau peut alors utiliser cette information; il réussit alors à décoder, à comprendre «ami» et à poursuivre la lecture des autres mots de la même façon, donnant ainsi à notre jeune lecteur un message clair et intéressant. Il aura le goût de continuer à lire. Mais attention, s'il déplace ne serait-ce que la lettre «a», le mot devient «mai» ou «mia» et tout se complique! Il lui faut maintenant utiliser la sonorité du phonème «ai» et entendre «é». En est-il capable?

LA FORME REPRÉSENTATIVE DE LA VIBRATION

C'est étonnant: la forme de chacune des graphies de notre alphabet représente l'espace utilisé dans notre corps pour faire vibrer cette sonorité. Nous verrons bientôt comment placer le son dans le corps pour que les enfants le récupèrent et soient capables d'y associer la graphie correspondante. Je reprends, l'enfant voit la lettre et son oreille doit lui donner le son qui correspond à cette lettre.

LE TRAVAIL D'ÉQUIPE DES YEUX ET DES OREILLES

Ensemble, les yeux et les oreilles utilisent la lettre et le son qui y correspond. Leur collaboration permet de graver dans le cerveau les engrammes de l'information qui sera utilisée au moment opportun et de la localiser. Le temps donne le coup d'envoi au processus, puis il faut placer cette vibration dans un espace. Quand on lit le mot « banane », on commence avec le « b ». Dans le temps et dans l'espace, la graphie et le son doivent être juxtaposés afin d'assurer une analyse adéquate du mot écrit. Le nerf auditif sera alors en mesure d'acheminer à l'hémisphère gauche du cerveau une information juste et exacte quant à la vibration sonore perçue. Puis, cet hémisphère donnera aux muscles de la bouche ou de la main une commande précise selon l'information reçue.

Le décodage réussi, l'enfant comprend le message qui découle de la suite des vibrations que comporte un mot. L'enfant est capable de décoder le mot « mitaine » parce qu'il analyse chacune des vibrations de « m-i-t-ai-n-e » et qu'il les relie ensemble. La modulation de chacun de ces sons crée une fluidité sonore claire qui lui permet d'aller dans l'autre hémisphère de son cerveau chercher l'image qui correspond au mot. Quand un enfant est habile à décoder, il est aussi habile à se faire une image à partir de ce qu'il entend ou de ce qu'il lit.

L'ÉVALUATION SCOLAIRE DE LA COMPRÉHENSION

Tout enseignant du primaire doit évaluer ses élèves s'il veut s'assurer que les enfants ont bien compris le texte qu'ils ont lu. Les enfants lisent seuls le texte, puis l'enseignant leur pose des questions afin de s'assurer qu'ils ont acquis les habiletés nécessaires pour repérer les mots clés dans le texte. Si tel est le cas, ils réussiront à répondre à la question posée.

En première année, quand les enfants ont de la difficulté à répondre, on leur propose malheureusement de repérer dans le texte le mot clé qu'ils ont lu dans la question. Il n'y a rien de mal là-dedans, sauf que l'élève n'apprend à utiliser que ses yeux. L'enfant cherche dans le texte, visuellement, le mot qui est écrit exactement comme celui dans la question. Je comprends que pour lui, en première année, ça fonctionne. Le problème survient lorsqu'il ne s'est pas préoccupé de faire aussi l'écoute de ce mot. Si l'enfant n'utilise que ses yeux, il ne comprendra pas le sens du texte. Il sera alors tenté de répondre sans se préoccuper du sens et transcrira sur sa feuille de réponses la première phrase dans laquelle il aura repéré le mot, sans vérifier si ça répond effectivement à la question.

LA CONCLUSION ERRONÉE

En corrigeant son examen, le professeur conclura sans doute, avec raison, que cet élève n'écoute pas. Mais il faut se demander pourquoi il n'écoute pas. Est-ce qu'il y a dysfonctionnement de son écoute centrale? Est-ce parce qu'il n'utilise pas toutes les stratégies d'écoute? Attention, s'il a choisi de ne pas écouter, c'est peut-être aussi qu'il se protège. Quoi qu'il en soit, l'enseignant devra s'assurer de revoir avec ses élèves toutes les stratégies d'écoute et de ne pas se contenter du visuel. Les enfants sont très intéressés par l'image, ils en ont l'habitude. On conclut parfois prématurément qu'ils ont un déficit d'attention, qu'ils sont dyslexiques, qu'ils sont distraits, alors qu'ils n'écoutent pas ou ne savent pas écouter.

L'ÉCRITURE

Pour être capable de créer l'image qui correspond au déroulement de l'histoire et comprendre l'idée principale du texte qu'on lit, il faut entendre intérieurement le message exprimé par le texte. Lorsqu'on écrit, c'est l'inverse. Il faut entendre son idée, puis la traduire avec des mots. Il est impératif d'apprendre aux enfants à écouter leurs idées. Malheureusement, ce n'est pas quelque chose qu'on enseigne. On leur dit: «Écris ceci sur cette ligne-ci.» Mais, l'écoute, où est-elle? La majorité des enfants ont une écoute centrale fonctionnelle, mais ce n'est pas une raison pour ne pas la travailler.

Une fois qu'il aura clarifié son idée, il sera plus facile à l'enfant d'utiliser les lettres et d'écrire correctement les mots. Il pourra traduire son idée de façon à localiser ce message selon les règles de la langue parlée.

L'ÉCRITURE EN ZIGZAG

Pour remédier à leurs difficultés en écriture, j'apprends aux enfants à écrire en zigzag. Ils écrivent les consonnes des mots sur la ligne du haut et les voyelles sur la ligne du bas, puis ils relient les sons qui sont à l'intérieur d'une même syllabe.

Vous pouvez utiliser cette technique pour favoriser la pratique de l'écoute des mots de vocabulaire que l'enfant a à mémoriser. Il doit:

1. tracer une ligne pour les consonnes;
2. tracer une autre ligne pour les voyelles;
3. différencier les consonnes des voyelles et les placer dans l'ordre sur la ligne correspondante;

4. déterminer les phonèmes et leur graphie ;

5. les encercler pour signifier qu'il a besoin de toutes ces lettres pour former le son articulé ;

6. relier à l'aide d'un trait les sons successifs d'une même syllabe ;

7. utiliser une ligne pointillée pour séparer les syllabes ;

8. insérer dans une ellipse tous les sons bien définis d'une même syllabe.

Si l'on veut que les enfants écrivent et qu'ils soient capables d'utiliser ces techniques, il faut nécessairement leur donner un point de repère. Ce repère, c'est la façon dont le son se déplace dans l'espace. Il faut pratiquer, rappelez-vous ! Et il nous faut répéter 14 fois la même chose pour qu'elle se grave dans la mémoire.

LA CALLIGRAPHIE

C'est le même processus pour la calligraphie. Il faut insister pour que les élèves écrivent les lettres en commençant par le haut. Ils devront ensuite aller vers la gauche, vers le bas et vers la droite, pour finalement retourner en haut. Il est

■ BALADE

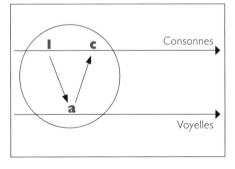

■ LAC

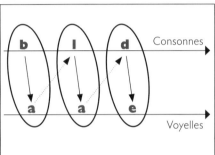

■ MOUTON

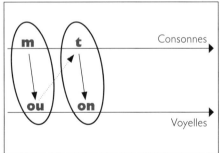

■ PHOTO

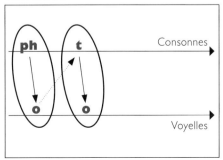

■ PRIX

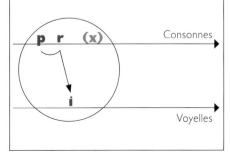

important de respecter cette rotation, qui va dans le sens contraire des aiguilles d'une montre, car c'est le sens du déplacement de la vibration sonore.

Le son est une vibration. La vibration implique un mouvement et le mouvement, c'est celui de la main qui trace la suite des graphies, permettant ainsi à l'enfant d'exprimer son idée. C'est avec son corps qu'il fait voyager la vibration du son jusqu'au bout de ses doigts. L'écriture doit suivre le mouvement de l'onde sonore. C'est ce qui permet à l'enfant d'obtenir un résultat maximal en utilisant un minimum d'énergie. Cette

■ GÉOMÉTRIE ANALYTIQUE D'UNE ONDE SONORE SUR UNE PÉRIODE

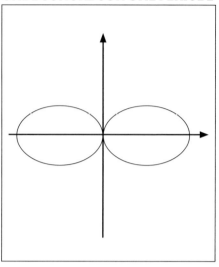

■ L'ÉCRITURE FLUIDE

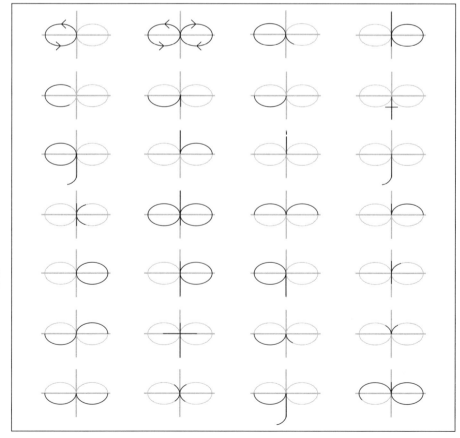

écriture fluide et continue permet à l'enchaînement sonore de se manifester.

LES MATHÉMATIQUES

Nous croyons que les mathématiques reposent sur un processus différent de celui du français. En réalité, le processus est pratiquement le même. La seule différence, c'est que, au lieu d'avoir des mots écrits en lettres, ce sont des symboles mathématiques qui donnent le message. L'enfant n'a donc pas à décoder le son – ou la lettre qui correspond au son – pour saisir le message, mais plutôt un symbole.

Combien d'enfants ont de la difficulté à effectuer un calcul ou à apprendre leurs tables d'addition ou de multiplication parce qu'ils n'ont pas appris à décoder les symboles. Si j'écris « 1 + 2 = 3 », l'enfant doit parvenir à comprendre grâce aux symboles que je fais une addition. Pour comprendre le message et faire un calcul, il faut être capable d'entendre le message inclus dans le symbole. Il faut donc développer les circuits neurologiques de l'enfant pour qu'il parvienne à décoder les symboles et à se faire une image de l'opération mathématique à effectuer. C'est ainsi qu'il sera en mesure de construire sur ses apprentissages... pour apprendre encore davantage !

La raison qui fait que certains enfants ont énormément de difficulté à apprendre les tables réside dans le fait qu'ils veulent compter sur leurs doigts. Pourquoi ? Parce ce que c'est logique et que c'est

ainsi qu'on le leur a montré : « Quand tu en as 1 et que tu en ajoutes 3, ça donne 4 [1 - 2 - 3 - 4]. Donc « 1 + 3 = 4. » Ils vont compter sur leurs doigts ou à l'aide de petits blocs, parce que visuellement ils sont aptes à le faire.

Toutefois, il faut que cette capacité soit aussi auditive. Il faut qu'ils soient capables d'utiliser l'information contenue dans le symbole. En mathématiques, on a aussi besoin de vivre physiquement l'expérience. Comme la chaîne sonore n'est pas très évidente, étant donné qu'on a affaire à un symbole, je propose qu'ils apprennent leurs tables en disant les chiffres à haute voix ou en driblant afin de donner un rythme à cette séquence et d'installer ce rythme dans leur corps. Le rythme va permettre au cerveau d'enregistrer l'information. Ainsi, « 4 x 7 = 28 » va devenir « quatre fois sept égale vingt-huit ». Le son et le rythme vont leur permettre de mémoriser les tables.

Porcinet

Porcinet est mignonne, élégante et très gentille, mais ô combien timide. Elle a peur de tout. Porcinet est incapable de faire quoi que ce soit. Pour se protéger, elle se cache! Plutôt que d'exprimer sa difficulté ou son désarroi devant quelque chose qu'elle n'arrive pas à saisir, elle se retire et elle pleure. Elle a peur, elle ne veut pas aller plus loin. En deuxième année, sa professeure propose donc à sa mère de faire évaluer son écoute centrale. L'enfant n'a aucun plaisir à apprendre, alors qu'elle démontre un bon potentiel intellectuel. Elle qui est une enseignante pourtant très efficace et très appréciée avoue que Porcinet est une énigme pour elle.

Les parents et l'enfant se sont présentés à mon bureau. Le test d'écoute a révélé un profil de dyslexie assez important. Porcinet était en deuxième année et elle était toujours incapable de décoder quoi que ce soit. C'était un jeu de devinettes visuelles. N'ayant pas les repères auditifs nécessaires au décodage, elle avait réussi à se donner quelques repères visuels. Ainsi, dès qu'elle reconnaissait visuellement une syllabe, par exemple « ma » comme dans « maman », elle tentait de deviner le reste du mot. Elle y consacrait toute son énergie et toute son attention, mais ça ne fonctionnait pas très bien.

Au début, j'ai évité volontairement l'écriture, car il fallait d'abord qu'elle apprenne à capter les sons. Plusieurs sons ont été difficiles à capter, car les larmes prenaient toujours le dessus. Laisser tomber un mécanisme de défense qui lui assure le réconfort de maman et des proches est bien difficile pour Porcinet. Elle se laisse envahir par ses peurs. Toutefois, à force de répéter, et grâce au soutien de ses parents et de sa professeure, Porcinet a réussi! Et les réussites lui ont fait connaître le plaisir de s'investir. Nous avons redonné à cette petite tout ce dont elle avait besoin pour affiner sa capacité d'écoute, mais en même temps, et surtout, nous avons énormément travaillé sur sa confiance. Il fallait qu'elle croie en elle-même et qu'elle cesse de jouer aux devinettes.

Le processus a été assez long, car son premier réflexe était toujours de se cacher derrière sa mère. Elle avait recours aux larmes à la première menace d'échec ou de difficulté. Tout cela la sécurisait. Elle pleurait à chaudes larmes, mais sans pour autant crier. Et, comme sa maman tentait de la réconforter chaque fois qu'elle pleurait, il s'est installé un cercle vicieux. Il nous a fallu quelque temps et quelques séances de larmes avant de parvenir à lui donner les outils pour réussir.

À la fin de sa deuxième année, elle réussit à lire, à décoder, et elle atteint la note de passage en français. Restait à travailler les mathématiques, car elle n'arrivait pas à comprendre les symboles. Elle sautait par-dessus ou elle les remplaçait par un mot simple qui ne lui donnait qu'une information partielle. Par exemple, si on lui demandait à quoi équivalait « 4 + 4 », elle répondait « 44 ». Pourtant, si on lui demandait de compter, elle y arrivait. Si on lui demandait de nous montrer quatre objets, elle le faisait. Certaines notions étaient donc intégrées, mais elle ne parvenait pas à apprendre que « 4 + 4 = 8 ». Elle répondait toujours « 44 ». Pour comprendre son raisonnement, je lui ai demandé de m'expliquer ce que voulait dire le « + » et elle m'a répondu qu'elle ne le savait pas. J'ai alors compris que, pour elle, le signe mathématique « + » ne représentait pas le symbole de l'addition. Elle mettait donc le premier 4 à côté du deuxième et ça donnait 44.

Parvenir à attribuer aux symboles mathématiques une signification lui a permis de réussir à effectuer des opérations mathématiques. À l'heure qu'il est, elle termine le primaire et elle réussit très bien. Socialement, elle est devenue beaucoup plus intéressante, car elle a le goût de vivre, de rire et de participer à plein d'activités. Elle s'est fait des amis. Reste une certaine difficulté en mathématiques, qui vient, je crois, d'un reste de peur. Le temps lui permettra toutefois d'accumuler les réussites et la peur va

s'estomper. Elle aura totalement récupéré son potentiel. Cette petite Porcinet devra bientôt prendre le surnom de Mulan !

LA RÉSOLUTION DE PROBLÈMES

Pour résoudre un problème, il faut être capable de décoder, de retenir et d'aller chercher une information donnée pour la structurer logiquement — temps et espace — afin d'arriver à une conclusion qui était inconnue au départ.

La résolution de problèmes est souvent difficile pour les enfants, surtout pour ceux qui ont de la difficulté en lecture. Il faut donc apprendre aux élèves à faire l'inventaire de ce que contient leur banque d'images. Puis, ils devront répertorier ce qui leur servira de repères, de balises, pour pouvoir appuyer leur démarche sur du connu. Ils sauront par la suite franchir les étapes qui mènent à la réponse finale. Quand on veut faire pratiquer les enfants afin qu'ils développent la logique nécessaire pour résoudre des problèmes, il faut d'abord leur donner le temps, la structure et l'organisation nécessaires pour aller chercher les repères.

Toute personne enseignant les mathématiques veut donner à ses élèves des notions mathématiques basées sur des repères – soit un mot clé, un axiome, un théorème. Si j'écris « + », il faut que l'élève sache à quelle notion renvoie ce signe. Il en va de même pour n'importe quel autre symbole mathématique, que ce soit un arc, une tangente, un angle droit, un radical, ou une équation.

Il faut franchir systématiquement les étapes jusqu'à ce que toutes les notions soient intégrées. C'est ça, l'apprentissage. Sauter des étapes ou proposer des raccourcis avant que le cerveau ait intégré toute l'information revient à favoriser encore le visuel. Conséquence inévitable: l'enfant devinera. Il tentera de se rappeler où le professeur a placé les chiffres pour trouver la réponse. Lui aura-t-on donné les outils nécessaires à son autonomie intellectuelle ? Non.

Quand on est trop préoccupé par la réponse, on ne peut pas écouter les mots qui nous donnent les repères. On saute les étapes, on oublie les structures logiques. On s'énerve. Le mécanisme de défense nous empêche d'utiliser les notions pourtant stockées dans la mémoire. On devine la réponse. On espère avoir la bonne pour avoir les points. C'est la note obtenue qui détermine notre capacité par rapport à celle des autres. L'enfant veut tellement trouver la bonne réponse qu'il en oublie d'écouter ses idées, de récupérer les données, de se donner des repères et de les placer dans une logique.

Ici, la réflexion s'impose. Nous sommes tellement pressés par le temps que nous donnons des trucs aux enfants afin qu'ils acquièrent les notions plus rapidement. Mais prenons-nous le temps de vérifier si nos élèves savent reconnaître le symbole de la fraction ? Cette ligne-là, ce n'est pas qu'une ligne, c'est un symbole de division. Qu'est-ce que ça veut dire? Pourquoi est-ce que je le mets là? Il faut donner le temps aux enfants. Il faut leur donner des repères. Et il faut leur permettre d'enregistrer l'information dans leur corps.

■ LES ÉTAPES DE LA RÉSOLUTION DE PROBLÈME SONT SIMPLES

1. Lire la question pour retracer les repères connus.
2. Répertorier les notions déjà acquises.
3. Déduire logiquement selon une démarche correcte pour arriver à une conclusion.
4. Représenter la solution par une image illustrant la réponse.

■ ÉTAPES À SUIVRE POUR AIDER UN ENFANT QUI CONNAÎT DES DIFFICULTÉS SCOLAIRES

I. Observer les indices ou les symptômes démontrant sa difficulté à composer avec les consignes.

2. Tenter de cerner les types d'erreurs. Par exemple, fait-il toujours des inversions? Utilise-t-il la démarche adéquate? S'il a étudié les mots de vocabulaire, pourquoi ne s'en souvient-il pas?

3. À la lumière de l'information contenue dans ce livre, tenter de déterminer s'il décode bien les messages verbaux.

4. Sinon, faire évaluer son écoute centrale en audiologie, chez un spécialiste ou au centre Iso-Son. Le résultat de l'évaluation sera le même. Toutefois, en milieu hospitalier, on ne vous présentera pas le profil de sa difficulté d'écoute.

5. Si l'évaluation révèle une difficulté, opter pour une stimulation auditive soutenue. Si, dans le milieu de l'enfant, un tel service n'est pas offert, consulter un expert afin de déterminer comment travailler à lui redonner sa capacité d'écoute. Vous pouvez aussi apprendre vous-même les techniques de rééducation auditives pour les utiliser dans votre milieu.

Chapitre 6

AFFINER L'ÉCOUTE CENTRALE

« Dès que les parents ont appris à leurs enfants à parler et à marcher, ils leur ordonnent aussitôt de se taire et de rester assis. »

FRANÇOISE DOLTO[4]

Et j'ajouterais :
« plusieurs intervenants aussi ».

4   Dolto, Françoise. *Tout est langage*, Éditions de la Seine/Vertiges du Nord/Carrère, 1987. Lire aussi: Dolto, Françoise, et Andrée Ruffio. *Entretiens*, Éditions Gallimard, 1999.

Notre objectif: préparer les enfants à choisir des stratégies d'écoute qui les amèneront à découvrir des stratégies d'apprentissage efficaces et bénéfiques. Notre moyen: affiner l'écoute centrale.

L'INTERVENTION

Toutes nos interventions avec les enfants, quel que soit leur âge ou leur difficulté, sont toujours guidées par notre objectif. L'approche utilisée convient à tous, dès quatre ou cinq ans. Elle convient à plusieurs problèmes d'apprentissage et de comportement, dont ceux qui touchent:

- le langage;
- la lecture;
- l'écriture;
- les mathématiques;
- la compréhension de textes plus complexes;
- la concentration.

La façon d'intervenir est sensiblement la même pour ces différents problèmes. L'attitude de l'élève à son arrivée donne toujours le ton au début de nos rencontres. Nous devons clarifier les données de la difficulté pour ensuite préciser nos objectifs d'écoute. Il est très pertinent

d'avoir l'assentiment de l'élève avant de commencer une session. L'enfant doit être ouvert au changement et ne pas utiliser son mécanisme de défense. Sinon, on travaille contre son élan de vie et ça ne donne jamais un résultat très intéressant.

Dès que l'enfant est prêt à collaborer, on peut travailler sur les sons ou les notions d'écoute qu'il faut lui apprendre, c'est-à-dire sur ce dont il a besoin pour comprendre et dont il doit être conscient. Une fois plus ouvert, il aura le goût de s'investir. Ces rencontres durent une heure chacune. Et il en faut en moyenne 50 pour vraiment affiner l'écoute. C'est le temps requis pour redonner à l'enfant une qualité, une justesse quant au bon fonctionnement de son écoute centrale. Dommage qu'il me soit impossible de vous faire vivre l'apport essentiel de la vibration sonore sur papier!

UNE RECETTE UNIVERSELLE?

Je vous entends déjà dire que j'ai la prétention de régler tous les problèmes et tous les troubles d'apprentissage. Mais je réponds par la négative. Ce que je sais, c'est que plus on étiquette un enfant, moins il a de chances de s'en sortir. L'effet Rosenthal veut que, à partir de notre façon d'être avec lui, l'enfant perçoive notre intention, notre façon de l'évaluer, notre degré d'intérêt quant à son problème. S'il perçoit que nous sommes convaincus qu'il est dyslexique, il sera dyslexique. Il capte cette information-là et l'utilise de façon à la rendre vraie.

Même si j'ai donné des détails sur les profils des difficultés d'apprentissage, je ne crois pas qu'il soit bénéfique pour un enfant d'être étiqueté. D'autant que les diagnostics ne sont pas irréversibles. Il y a bel et bien nombre de difficultés que l'on peut régler en travaillant sur l'écoute centrale et en stimulant l'oreille interne. Forte de mes 20 ans d'expérience, je peux vous assurer que les enfants finissent toujours par surmonter leurs difficultés.

Plus les enfants développent leur capacité d'écoute, plus ils deviennent habiles en lecture et même en mathématiques. Les résultats sont très intéressants. Plusieurs de mes élèves reviennent me voir après quelques années et me disent qu'ils n'auraient jamais cru pouvoir se rendre à l'université ou atteindre certains objectifs. Je suis heureuse d'avoir contribué au mieux-être de ces enfants-là. Ils ont si bien surmonté leurs difficultés qu'ils n'y croient plus et qu'ils ont oublié l'étiquette qu'on leur a déjà donnée.

LA RÉSISTANCE

Bien sûr, il ne s'agit pas d'un miracle pour autant. C'est un travail de longue haleine, qui demande une entière présence, beaucoup d'attention, d'organisation, de vigilance, et surtout de constance et de temps. Dès que l'on met son énergie à récupérer son potentiel, on se distance des symptômes qui entretiennent le problème et déjà on s'ouvre au changement. La possibilité d'acquérir de nouvelles habiletés beaucoup plus efficaces fait vivre aux enfants une expérience de réussite, ce qui déclenche le phénomène de répétition et permet une nouvelle expérience de réussite. Tous ceux qui tiennent bon tout au long de cette démarche, malgré les obstacles à surmonter, en profitent et vont beaucoup mieux. Surmonter un traumatisme ou un problème affectif permet de s'ouvrir à une autre façon de faire, à une autre manière d'être.

QUAND LE TEST D'ÉCOUTE INDIQUE «NORMAL»

On ne peut toutefois pas établir de taux de réussite, car chaque enfant a son histoire et ses problèmes ainsi qu'une façon différente de les régler et de gérer les nouveaux apprentissages. Le travail se termine dès que le test d'écoute nous révèle un profil normal, c'est-à-dire un profil où c'est l'oreille droite qui capte d'abord tous les sons, à toutes les fréquences. Il faut qu'elle soit l'oreille directrice et qu'elle transmette l'information à l'hémisphère gauche du cerveau, là où se fait l'analyse du langage, là où est situé le centre du langage. L'oreille gauche doit quant à elle être décalée cinq à dix décibels dans le temps dans sa perception des sons et confirmer à l'oreille droite que ce qu'elle a entendu est juste. Enfin, cette courbe révèle un mouvement de modulation. Nous ne sommes pas en présence d'un plateau, parce qu'un plateau signifierait une fuite d'énergie qui n'est pas un élan de vie efficace.

Il faut intégrer les stratégies d'écoute et s'assurer de toujours les appliquer. Ce n'est pas quelque chose d'acquis. C'est quelque chose que l'on doit mettre en pratique tous les jours. L'écoute, c'est comme la forme physique, elle s'améliore si on l'entretient. Même si j'ai été championne un jour, si je ne continue pas à m'entraîner, je finirai par ne plus pouvoir me qualifier.

Certains, dès qu'ils constatent une amélioration de leur écoute, voient leur comportement et leurs résultats s'améliorer aussi. Ils sont tellement heureux

qu'ils progressent de façon presque spectaculaire. Même d'un bulletin à l'autre, on voit une grande différence. Par contre, pour d'autres, les résultats sont plus longs à obtenir. Il faut qu'ils réussissent à surmonter l'obstacle affectif ou le traumatisme. Ils affinent néanmoins leur écoute et ils en profitent. Ils progressent, même s'ils y mettent plus de temps.

SURMONTER LES OBSTACLES

Dans certains cas, l'élève n'est pas intéressé à utiliser son écoute. Il préfère encore se cantonner dans un comportement de résistance et un mécanisme de défense. Dans ces cas-là, il faut délaisser un peu la stimulation auditive pour travailler sur l'obstacle. Il faut parvenir à comprendre la souffrance et à la guérir. Alors, on pourra constater une amélioration durable quant à ses résultats scolaires, à son comportement en général, à sa vie sociale et même sur les plans physique et intellectuel.

Les élèves qui offrent le plus de résistance sont ceux qui tirent avantage de leur mécanisme de défense. Si, par exemple, maman les réconforte chaque fois qu'ils crient, ils continueront à crier. Assez souvent, ces élèves ont vécu un traumatisme en très bas âge et maman a toujours été présente pour les rassurer et les protéger. Difficile de laisser tomber cette sécurité affective. C'est leur priorité. Maintenant, maman doit devenir une alliée. Avec l'enfant, elle élaborera de nouvelles façons de faire, afin qu'il vive une réussite. Tranquillement, on les voit s'investir, changer de comportement et d'attitude et devenir très autonomes. Ils ont parfois un peu tendance à vouloir revenir en arrière, histoire de retrouver les avantages du mécanisme de défense. Peut-être alors que, pendant cinq minutes, on peut le leur permettre. Par contre, les parents et les intervenants doivent être très vigilants, parce qu'il ne faut pas que le mécanisme de défense se réinstalle. Il ne faut pas perdre le terrain gagné. La ténacité et la constance sont essentielles dans ce processus.

Une fois que le travail est terminé, tout le monde en profite : les enfants, bien sûr, mais aussi leurs parents, leurs amis, les intervenants, etc. L'écoute des enfants ayant été affinée, la communication sera meilleure.

RESTAURER LA QUALITÉ DE VIE

Améliorer l'écoute restaure la qualité de vie de toute la société. Je souhaite vraiment que ce livre, vous donne le goût d'y être attentif. Les interactions avec les gens de notre entourage sont plus intéressantes. Calibrer, évaluer ou comptabiliser entraîne la fermeture, l'absence d'échange. À l'opposé, un échange verbal et une communication intègre, modulée, fluide, présente, permet à chacun de s'ouvrir.

■ RECOMMANDATIONS POUR FACILITER LA RÉCUPÉRATION DE L'ÉCOUTE CENTRALE

1	• À partir des symptômes, déterminer la difficulté d'apprentissage de l'enfant. • Départager ce qui relève de la personnalité de l'enfant et ce qui relève de son mécanisme de défense devant les difficultés.
2	• Éviter de chercher les causes qui ont déclenché son problème d'apprentissage. Elles appartiennent à l'étudiant. Nous faisons souvent fausse route et perdons du temps et de l'énergie pour rien.
3	• Redonner à l'étudiant les repères : • temps ; • espace ; • démarches ; • stratégies logiques.
4	• Évaluer toutes les perceptions de l'enfant. Exemple : les enfants indigo (dont les perceptions sont très vives) ont souvent de la difficulté à gérer l'apport de toutes leurs perceptions.
5	• Miser sur ce qu'ils savent pour passer à l'action. Refuser toutes devinettes ou manipulations. Tout doit partir d'eux pour développer leur autonomie.

« Cent fois sur le métier remettez votre ouvrage. »

BOILEAU

Depuis plus de 20 ans, je participe à la récupération du potentiel de beaucoup d'enfants, qui en ont vraiment profité. Leur courbe présente maintenant une écoute centrale tout à fait dans la norme. Je suis un peu triste, toutefois, lorsque certains enfants, bien que leurs oreilles soient bien synchronisées, n'utilisent pas les stratégies d'écoute quand ils se retrouvent devant un examen ou devant des notions difficiles à saisir.

C'est dommage, car ils entretiennent cette conviction : ils ont fait leur effort, on leur a dit que la courbe était maintenant normale, alors on devrait les laisser un peu tranquilles avec nos histoires de stratégies d'écoute. Malheureusement, ce qu'ils font alors, c'est recourir à leur ancien mécanisme de défense. Ce dernier n'était pas efficace, mais ils ont la conviction que c'est leur meilleure arme devant une difficulté. Deux ou trois ans plus tard, ils me téléphonent parce qu'ils ne réussissent toujours pas à l'école. Je refais le test d'écoute et constate qu'il n'y a pas une grosse différence dans la chaîne sonore depuis que nous nous sommes quittés. Il y a cependant des fermetures au niveau des fréquences aiguës. L'analyse du son entendu n'est donc pas si perturbée que ça. Seule-ment, ils n'utilisent pas la stratégie d'écoute.

Il y a lieu de travailler sur la croyance qu'ils ont que leur mécanisme de défense est efficace. Il faut aussi leur faire comprendre que leur écoute est négative, c'est-à-dire fermée. Il faut reprendre quelques séances pour leur redonner confiance en eux. Ils doivent se donner le droit de croire en leur capacité. Et ils doivent faire des expériences qui vont leur permettre d'y croire de plus en plus. Évidemment, il y a lieu de départager ce qui relève de leur personnalité et ce qui relève du mécanisme de défense qu'ils mettent en œuvre pour éviter la souf-france de l'échec.

C'est ce que nous devons, nous, édu-cateurs et intervenants, détecter.

Si on fait sentir à l'enfant qu'on le trouve paresseux, il va continuer à être paresseux. Encore l'effet Rosenthal. Aus-sitôt qu'un enfant perçoit notre convic-tion qu'il est lunatique, immature, tricheur ou non motivé, il continue à avoir ces comportements. Il nous renvoie l'image qu'on veut voir. Il se rend compte qu'en nous renvoyant cette image on ne tra-vaille plus sur sa difficulté, mais sur cette image. Il nous accuse d'être responsables de son malheur, alors que c'est lui qui est maître de sa vie. On doit lui donner accès à ses moyens, à sa capacité, à son potentiel. On lui permettra ainsi d'avoir une meilleure vie.

Lise Christophe Laverdière est d'abord et avant tout une femme curieuse et créative qui adore les enfants. Enseignante diplômée, elle rencontre, sur sa route de maman, toutes les affres qu'une difficulté d'apprentissage fait vivre à un de ses enfants et conséquemment à toute sa famille. Elle entreprend donc une longue recherche, qui porte ses fruits, non seulement pour sa progéniture, mais pour des centaines d'enfants et de parents qui la consultent depuis la fondation de son centre de rééducation auditive en 1986. Étant éducatrice depuis longtemps, elle ajoute à ses solides connaissances des approches phoniques peu utilisées, soit la stimulation auditive par la résonance de la voix, qui garantissent un succès incontesté.

Conférencière et formatrice grandement appréciée des enseignants et des parents, elle enseigne comment aider les enfants en difficulté d'apprentissage, tout en respectant leur rythme et leur réalité quotidienne.

Le centre Iso-son

Fondé en août 1986, on y pratique la rééducation auditive à l'aide d'une technique de résonance de la voix mise au point par François Louche suite à ses nombreuses années de travail avec le Dr Alfred Tomatis, père fondateur d'une méthode portant son nom et auteur du livre *L'oreille et la vie*. Inspirée par les travaux de Lucie de Vienne, qui a su adapter les découvertes de Tomatis en vue de favoriser l'utilisation de la voix chez les acteurs et comédiens, Lise Christophe Laverdière a continué d'adapter la méthode à partir des expériences qu'elle a menées pour favoriser l'apprentissage de la lecture, sensible à la façon dont les lecteurs peuvent transmettre toute l'information du message en vivant toute l'émotion contenue dans les textes. Pour ça, il lui a fallu décortiquer les étapes nécessaires aux apprentissages premiers de la lecture, de l'écriture et surtout celles qui permettent de donner aux mots et aux symboles leur juste sens. Avec M. Louche et les documents officiels du ministère de l'Éducation du gouvernement du Québec, elle a adapté toutes ces connaissances aux différents paliers établis pour assurer avec succès le passage des élèves au prochain niveau de leur scolarisation.

Cette rééducation se fait suite à l'évaluation de l'écoute centrale en dysfonction, en gardant l'élève dans son milieu familial, et en tentant d'incorporer les stratégies d'écoute favorisant son succès scolaire. Avec son professeur, Iso-Son établit les priorités d'interventions pour donner à l'enfant l'accès aux notions qu'il doit récupérer avant de passer à l'étape suivante. Les jeunes enfants, jusqu'à ce qu'ils atteignent le niveau de la deuxième année du primaire, rencontrent le spécialiste une fois par semaine. Dès la deuxième année scolaire, il est impératif de les rencontrer deux fois par semaine afin d'accélérer la stimulation de leur écoute centrale, leur permettant ainsi de récupérer leur potentiel d'écoute plus rapidement et de saisir ce dont ils ont besoin pour être satisfaits de leur travail.

Puisque l'écoute nourrit l'intellect et non l'inverse, toutes les interventions sont basées sur les trois phases fondamentales essentielles pour fournir toute l'information momentanée de notre environnement à notre intelligence, soit :

- écouter ;
- s'écouter ;
- être écouté.

Écouter permet d'accéder à la vibration d'un son pour le placer adéquatement dans son corps. C'est une période intense où la résonance de la voix stimule l'oreille interne et, de là, transmet à notre intellect un message juste et clair, favorisant ainsi un choix intelligent qui nous conduira à poser les gestes judicieux assurant notre succès.

S'écouter nous donne alors accès à nos idées et nous assure de créer une image correspondant à une réalité.

Être écouté garantit une communication valable et satisfaisante, prémisse à toute motivation de continuité.

En moyenne, il faut une cinquantaine d'heures de stimulation auditive pour récupérer une écoute centrale. Durant ces rencontres, il nous faut d'abord créer une ouverture à l'écoute, car il est très difficile de réussir dans une intervention aussi intense sans l'apport et le consentement de l'élève. Et, même s'il y consent volontairement, il devra faire face à la résistance de son mécanisme de défense, et, comme tous nos mécanismes de survie, il est inconscient, automatique et toujours là.

Le nôtre l'est aussi. Il est urgent de saisir l'importance de notre propre écoute à la réalité de notre élève, car les frustrations sont vite au rendez vous et les risques de déraper dans le contrôle et l'abus sont réels et malheureusement très répandus au sein de nos institutions. Durant toutes les rencontres et interventions, il faut toujours garder en perspective l'état d'âme et la disponibilité de l'élève tout autant que la nôtre. Ceci exige une écoute authentique et une vigilance accrue. La satisfaction qui en découle n'a pas son égal : elle crée une grande ouverture, une intimité de pensée de grande qualité et, surtout, une communication authentique de laquelle émanent de grandes idées, de grandes découvertes, de grands succès. N'est-ce pas le but premier d'un éducateur engagé : que l'élève dépasse le maître ?

Le profil idéal ou presque de la courbe de l'écoute centrale de notre sujet détermine la fin des rencontres. S'il faut en moyenne 50 heures de rééducation auditive pour régler la problématique d'un dysfonctionnement de l'écoute centrale, il est impossible de déterminer exactement le nombre de rencontres au départ. C'est l'évaluation périodique du profil du jeune qui nous indique les étapes à franchir. Déjà, l'on sait qu'une difficulté de langage prendra plus de temps à corriger, mais tous en profitent au maximum, en autant que l'on persiste jusqu'à ce que la courbe de leur profil soit idéale.

Travailler avec les étudiants universitaires qui se destinent à l'enseignement permettra de les sensibiliser au besoin urgent de récupérer la place de l'ouïe dans notre système d'éducation. Bienvenue à tous ceux et à toutes celles qui veulent s'engager dans une aventure grisante et satisfaisante, celle de donner à nos élèves accès à leur écoute pour libérer tout leur potentiel !

Promesse d'une suite...

Je croyais à tort que tout serait dit et partagé ! Je vous entends déjà en réclamer plus. Je vous reçois 10/10. Comme vous, je reste insatisfaite ! Je réalise aujourd'hui que ce texte se situe au premier niveau de l'apprentissage : l'information. Il faut maintenant passer au deuxième niveau : l'expérimentation et l'application.

Je vous promets un deuxième livre avec davantage d'applications pratiques où je partagerai mes observations et le cheminement du comment et du pourquoi de l'importance d'affiner l'écoute.

Le printemps prochain, je m'engage à vous offrir de nouvelles attitudes et techniques qui vous permettront de mieux gérer toutes sortes de situations complexes, qui sont les vôtres tous les jours. Nous vivrons alors l'intégration.

Différents établissements d'enseignement seront invités à ajouter cette formation à leur programme d'éducation continue. Des formations, conférences ou stages en milieu de travail sont possibles. Pour ce faire : isoson@total.net. Ou encore visitez le www.isoson.com.

Merci de votre écoute !

Liste des tableaux et figures

Hémisphères cérébraux gauche + droit = sagesse   **27**

La roue du langage   **35**

Grille d'écoute aérienne : profil idéal   **47**

Grille d'écoute aérienne : profil de dysphasie   **53**

Grille d'écoute aérienne : profil de dyslexie   **54**

Ce que les fréquences révèlent   **55**

Grille d'écoute aérienne : profil du déficit d'attention   **65**

Grille d'écoute aérienne : profil de l'hyperactivité   **69**

Concordance yeux-oreilles   **77**

L'oreille   **81**

Les conséquences de l'écoute centrale sur l'apprentissage   **83**

Recommandations pour tous les enfants   **101**

Balade   **105**

Lac   **105**

Photo   **105**

Mouton   **105**

Prix   **105**

Géométrie analytique d'une onde sonore sur une période   **106**

L'écriture fluide   **106**

Les étapes de la résolution de problème sont simples   **110**

Étapes à suivre pour aider un enfant qui connaît des difficultés scolaires   **111**

Recommandations pour faciliter la récupération de l'écoute centrale   **118**

Liste des cas vécus

Flash McQueen   **36**

Jafar   **57**

Pinocchio   **60**

Timide   **67**

Étoile filante   **71**

Polochon   **83**

Pan-Pan le lapin   **85**

Alice au pays des merveilles   **89**

Le roi Lion   **100**

Porcinet   **107**

Cet ouvrage, composé en Chantilly,
a été achevé d'imprimer le 6 novembre 2007
sur les presses de Transcontinental Métrolitho,
à Sherbroode, Québec,
pour le compte de Isabelle Quentin éditeur